***Alternatives Economiques pratique* n° 24** mai 2006

Fondateur, conseiller de la rédaction : Denis Clerc
Rédaction : 28, rue du Sentier, 75002 Paris
Tél. : 01 44 88 28 90
Courriel : redaction@alternatives-economiques.fr
Abonnement : 5 numéros, 32 €
institutions : 39,50 €
Directeur de la rédaction : Philippe Frémeaux
Rédacteur en chef : Guillaume Duval
Secrétaire général de la rédaction : Daniel Salles
Responsable des *Alternatives Economiques Pratique* : Naïri Nahapétian
Comité scientifique : Christian Dufour (Ires), Jean-Pierre Le Goff (université de Brest).
Rédaction : Claire Alet-Ringenbach, Pascal Canfin, Charlotte Chartan, Nicolas Cochard, Perrine Créquy, Christian Dufour, Christelle Fleury, Adelheid Hege, Barbara Hochstedt, Mélanie Mermoz, Laure Meunier, Lorris Mazaud, Naïri Nahapétian, Marie-Sophie Peyre, Jalila Jaoug.
Secrétariat de rédaction : Charlotte Chartan
Maquette : Isabelle Courty
Partenariats : Pascal Canfin
Relations extérieures : Véronique Orlandi
Directrice commerciale : Hélène Reithler
Publicité, directeur de clientèle : Jérémy Martinet
Chef de publicité : Nicolas Chabret
Service abonnements :
12, rue du Cap-Vert, 21 800 Quétigny
Tél. : 03 80 48 10 25 – Fax : 03 80 48 10 34
Courriel : abonnements@alternatives-economiques.fr
Diffusion : en kiosque : Transports presse en librairie : Dif'pop, 21 ter, rue Voltaire, 75011 Paris, tél. : 01 40 24 21 31, fax : 01 40 24 15 88
Inspection des ventes : Sordiap, n° vert : 0800 34 84 20
Couverture : Christophe Durand
Photo : Helen King/Corbis
Photogravure-impression : Imprimerie de Champagne (Langres)
CPPAP 0309 I 84446
ISSN 1291-1704
Dépôt légal à parution
Edité par la Scop-SA Alternatives Economiques
Directeur de la publication : Philippe Frémeaux

Alternatives Economiques
www.alternatives-economiques.fr

Agir avec son comité d'entreprise

- Créer et faire fonctionner son CE
- Loisirs, voyages, culture et solidarités
- Contrôler la gestion de l'entreprise...

Sommaire

Les activités sociales et culturelles 78

Agir avec son CE dans la société 109

Pour aller plus loin 122

Bibliographie 140

Index 143

Editorial

Un outil dont il faut s'emparer

par Naïri Nahapétian

On compte environ 30 000 comités d'entreprise aujourd'hui en France, en majorité dans de grandes entreprises, mais aussi parfois dans des PME. Plus de 65 % des six millions de salariés concernés participent aux élections destinées à désigner leurs représentants au sein des CE, signe de leur attachement à cette institution de dialogue entre partenaires sociaux à l'intérieur de l'entreprise. Organisateurs d'activités sociales et culturelles pour les salariés, les CE sont également informés et consultés sur la gestion de l'entreprise. Comment fonctionnent-ils ? De quels moyens disposent-ils ? Quelles sont leurs attributions ? Ce guide, réalisé sous la direction scientifique de Christian Dufour, directeur adjoint de l'Institut de recherches économiques et sociales (Ires), et de Jacques Le Goff, juriste et historien du droit, tente d'y répondre, au moyen de fiches pratiques, mais aussi en donnant la parole à des élus, à des syndicalistes et à des professionnels spécialisés, qui expliquent la portée de leur action, mais aussi ses limites.

Le droit de regard des CE s'applique à de nombreux domaines économiques de la vie de l'entreprise, du temps de travail jusqu'aux réductions d'effectifs, en passant par l'introduction de nouvelles technologies. Ils concourent à la représentation du personnel aux côtés des délégués du personnel, qui présentent au chef d'entreprise les réclamations des salariés, et des délégués syndicaux, qui négocient salaires et accords collectifs. Au final, la capacité des salariés à intervenir dans la gestion des entreprises demeure toutefois très limitée en France, en comparaison de la législation ou des usages en vigueur en Allemagne ou dans les pays nordiques. Un chantier à rouvrir après 2007...

En pratique, la capacité des comités d'entreprise à utiliser leurs droits dépend des rapports de force dans l'entreprise et de la motivation des élus. De nombreux CE s'investissent essentiellement dans les activités sociales et culturelles. L'entreprise est aussi un lieu de vie et de socialisation, et ces activités jouent un rôle réel dans la qualité de la vie au travail des salariés. Mais les élus, au vu des prérogatives que leur accorde la loi, ont les moyens d'aller au-delà d'un simple rôle de distributeurs de cadeaux. Un chapitre entier est ainsi consacré aux actions citoyennes des CE qui ouvrent leurs activités vers l'extérieur. Reste que l'enjeu majeur est bien aujourd'hui de lutter contre la précarité au sein de l'entreprise, dans un contexte où intérimaires et CDD ne bénéficient que très partiellement des interventions des CE.

Malgré toutes ces limites, le CE reste un outil de participation des salariés à la vie de l'entreprise, dont il faut s'emparer. Comme n'importe quel outil, sa qualité dépend de l'usage qui en est fait. Ce guide est là pour aider à le comprendre pour mieux l'utiliser. ■

Soixante ans de CE

Les comités d'entreprise gèrent des activités sociales et culturelles pour les salariés et sont des structures de dialogue et de consultation au sein de l'entreprise. Leur pouvoir de contrôle économique s'est beaucoup développé depuis vingt-cinq ans.

Une affirmation progressive

Les comités d'entreprise ont vu peu à peu leurs prérogatives s'étendre, dans une limite juridique claire, qui peut être dépassée sur le terrain.

Présidé par le chef d'entreprise, le comité d'entreprise est formé à la fois d'une délégation du personnel élue et de représentants syndicaux désignés. Cette composition particulière qui donne son identité au CE, ainsi que son double rôle social et économique sont le fruit des compromis politiques qui ont marqué l'après-guerre. Les comités d'entreprise étant à la fois une des conquêtes sociales majeures de la Libération et une institution traversée dès le départ par de nombreuses ambiguïtés.
Un projet très démocratique était pourtant à leur origine. Ainsi, dès 1944, des comités de gestion ont émergé spontanément en France ; ils associaient les salariés à la gestion de l'entreprise et aux décisions de fabrication et d'embauche. Mais ces expériences de cogestion sont restées sans lendemain. En 1945, lors de la création des CE par l'ordonnance du 22 février, le patronat ne doit céder en effet qu'une faible part de la gestion à cette nouvelle institution sous la forme de ce que l'on nomme alors les « œuvres sociales ».
C'est néanmoins une conquête : le mouvement ouvrier a combattu le paternalisme tout au long du XIXe siècle, car les entreprises s'attachaient alors les ouvriers et s'efforçaient de gagner leur docilité en leur fournissant le gîte, une assurance maladie et même une éducation. Mais c'est aussi un héritage de Vichy, qui avait instauré, par la Charte du travail, les comités sociaux d'entreprise, comme le rappelle le juriste Jacques Le Goff. Placés sous l'autorité de l'employeur, ces derniers avaient comme principale fonction d'améliorer le ravitaillement des salariés. D'où la réputation de « comités patates » que les CE, qui leur ont succédé, ont longtemps conservée.

Un rôle économique dès le départ

Pourtant, dès leur création, les comités étaient également dotés d'attributions économiques. Ainsi, l'ordonnance de 1945 prévoit que les CE soient informés sur les questions touchant à la vie économique de l'entreprise et qu'ils puissent se faire aider d'un expert-comptable pour analyser les comptes annuels de la société. La loi du 16 mai 1946, qui prolonge l'ordonnance, va plus loin et précise que les comités doivent être non seulement informés, mais aussi obligatoirement consultés sur les questions concernant l'organisation, la gestion et la marche de l'entreprise, en particulier sur des décisions pouvant affecter l'emploi. De même, l'expert-comptable qui les conseille peut désormais être librement choisi par eux.
Ce rôle économique limité à l'information et à la consultation, sans droit de veto, tient à la fois à la méfiance du patronat vis-à-vis de tout contrôle ouvrier, mais aussi à la méfiance d'une CGT, alors puissante, vis-à-vis des CE [1]. L'organisation syndicale leur reprochait à l'époque d'être des institutions élues : comme le rappelle l'historien Jean-Pierre Le Crom, dès 1936 et l'ins-

[1] La CFTC, qui donnera naissance à la CFDT, y était plus favorable.

tauration de délégués du personnel élus dans les entreprises de plus de 10 salariés, la CGT exprimait son opposition, affirmant que la représentation du personnel devait être le monopole des représentants syndicaux. C'est d'ailleurs pourquoi, jusqu'à aujourd'hui, les syndicats ont en France un monopole sur la négociation et la conclusion d'accords collectifs. D'autre part, la CGT soupçonnait alors les CE d'être des lieux de collaboration de classe.

Les effets de la crise

Les comités d'entreprise sont ainsi longtemps restés une institution dormante, centrée sur les œuvres sociales. Certes, celles-ci ont contribué à démocratiser l'accès des salariés aux vacances et à la culture. Il est vrai que dans les années 50 et 60, les délégués du CE faisaient le tour des ateliers pour amener les ouvriers au Théâtre national populaire. Mais le CE, c'était aussi avant tout à cette époque, rappelle Jean-Pierre Le Crom, *« le club de football financé par le patron »*. Les élus et les représentants syndicaux qui siégeaient au CE n'avaient pas encore les outils qui leur permettront par la suite de contrôler la gestion de la direction. Dans les années 60, commente Jean-Pierre Le Crom, *« le patronat ne leur transmettait pas d'éléments d'information facilement utilisables. Souvent, la situation de l'entreprise leur était décrite négativement, alors même qu'elle était décrite très positivement aux actionnaires. Les élus n'étaient pas encore formés à lire les bilans comptables. »*
Les droits d'information et de consultation des CE ont donc finalement été peu utilisés jusque dans les années 70, où la crise pousse leurs élus à s'emparer de leurs prérogatives économiques. Parallèlement, le statut des représentants du personnel, qu'ils soient élus (délégués du personnel et élus au CE) ou désignés par une organisation syndicale, s'affermit à la fin des années 60. La protection des élus en cas de licenciement est de mieux en mieux assurée, la section syndicale d'entreprise est reconnue en 1968. Ce sont deux avancées très importantes : la première facilitant l'action des CE, la seconde donnant satisfaction à une très ancienne revendication syndicale. Jusque-là, ces organisations étaient en effet plus préoccupées par le fait d'obtenir du législateur cette reconnaissance que d'élargir les prérogatives du comité d'entreprise.
Chaque nouveau texte de loi sur le droit du travail ou l'entreprise, à partir de cette période, associe le CE : l'ordonnance de 1967 sur la participation et l'intéressement, la loi de 1971 sur la formation professionnelle, comme celle de 1975 sur les licenciements économiques, qui prévoit que le CE donne son avis.

Des lois Auroux au recul législatif de la droite

Les lois Auroux du 28 octobre 1982 marquent dans cette évolution un tournant important. Elles élargissent les prérogatives des CE en créant notamment un budget de fonctionnement dont le montant s'élève à 0,2 % de la masse salariale brute. Ce budget permet aux CE de former leurs élus et de financer une expertise comptable indépendante. De même, elles créent des comités de groupe, afin d'informer les élus à une échelle plus pertinente.

La loi de modernisation sociale de 2002, en réaction aux plans de restructuration qui secouent l'opinion (Michelin, Danone...), renforce encore le pouvoir des CE (voir notre entretien avec Maurice Cohen page 15). Depuis, elle a été peu à peu démantelée par la droite. La réforme du 2 août 2005, qui prolonge le mandat des élus des CE de deux à quatre ans risque également de fragiliser ces instances, marquées pour l'instant par une grande stabilité (voir notre entretien avec les spécialistes de la Dares, du ministère de l'Emploi, page 18), en rendant plus difficile le recrutement des élus, mais aussi et surtout, dans un contexte d'instabilité de l'emploi, en excluant beaucoup de salariés de l'élection de ces représentants, plus particulièrement dans les secteurs connaissant un fort *turn-over*.
On le voit, c'est historiquement une première : alors que toutes les lois depuis la Libération avaient renforcé le pouvoir des comités d'entreprise, on assiste aujourd'hui à un recul législatif. Pour autant, la juris-

ZOOM Même dans l'intérim

Les intérimaires accèdent rarement aux comités d'entreprise des sociétés où ils effectuent leurs missions, en raison de la brièveté de leur présence et de l'imprécision de la loi quant à leurs droits en la matière. Un accord de 1985 instaure donc un comité d'entreprise au sein des sociétés de travail temporaire comptant au moins 50 salariés. Or, sur les 592 000 intérimaires en équivalent temps plein recensés fin 2005 par le ministère de l'Emploi, moins de 30 % profitent aujourd'hui de ce droit.
La grande majorité des sociétés d'intérim qui existent en France disposent pourtant d'un comité d'entreprise. « *Seules quelques mono-agences spécialisées, dans l'architecture par exemple, n'en ont pas* », note Vincent Poirel, du Syndicat des entreprises de travail temporaire (Sett). Mais plus de 500 heures de travail au cours des 12 derniers mois sont souvent exigées pour accéder aux prestations de base : sorties sportives et culturelles à la journée et bons d'achat. Certes, les 135 000 travailleurs temporaires d'Adecco, par exemple, bénéficient de prestations dès la première heure travaillée. « *Mais multiplier les bénéficiaires restreint le montant des remises* », rappelle Brigitte Saglione, permanente responsable de la centrale d'achat au CE d'Adecco.
Les 350 000 intérimaires employés par Vediorbis dépendent de leur côté de CE sectoriels (industrie, bâtiment, tertiaire) et non régionaux. France Borot, déléguée CFDT chez Vediorbis, constate « *de fortes disparités d'offres entre nos CE, les élus du bâtiment gérant un plus gros budget car ils représentent davantage de salariés* ».
Elu au comité d'établissement grand ouest de Manpower, Yannick Poulain déplore le fait « *qu'à peine 10 % de ces travailleurs précaires participent aux élections. Beaucoup ne sont pas informés, car ils n'entretiennent avec l'entreprise que des relations téléphoniques. D'autres craignent d'être évincés de contrats de mission à cause de leur engagement.* »
Quant à leurs attributions économiques, les CE de l'intérim ont, comme dans les autres secteurs, un rôle d'information et de consultation. Mais leurs élus, concernant la politique salariale, se concentrent souvent sur la limitation du recours aux contrats à durée déterminée pour les permanents... Cela reste en effet difficile de toucher des personnes qui par définition sont éparpillées, de par la multiplication du nombre de leurs missions, sur une échelle qui n'est pas celle où intervient le comité d'entreprise.

Perrine Créquy

prudence veille, rappelle le juriste Maurice Cohen. Et les CE sont surtout un outil, dont les élus, les syndicats et les salariés peuvent s'emparer ou non sur le terrain.

La place ambiguë des activités sociales

L'originalité des comités d'entreprise en France tient au rôle important qu'ils jouent dans la gestion des activités sociales et culturelles. « *Ailleurs, cela n'existe pas. Mais ailleurs, on ne nous envie pas !* », commente Christian Dufour, directeur adjoint de l'Institut de recherches économiques et sociales (Ires). Car cela crée « *une confusion quant au rôle des CE* », explique-t-il. Ainsi, ajoute le chercheur, « *on constate souvent sur le terrain que plus les syndicats sont combatifs, moins ces activités sont développées* » !

Selon Salons CE, qui organise régulièrement des salons à destination des comités d'entreprise, plus de la moitié de leurs dépenses (sur un budget total qui dépasserait les 3 milliards d'euros) iraient au tourisme et aux loisirs, un quart aux autres services aux salariés, un cinquième aux festivités et 5 % seulement au rôle économique.

ZOOM Dans les autres pays

Il existe en théorie deux systèmes de représentation des salariés », explique Christian Dufour, directeur adjoint de l'Institut de recherches économiques et sociales. Dans le système dit « moniste », les salariés ne sont représentés que par les syndicats. C'est le modèle qui prédomine dans les pays anglo-saxons : les Etats-Unis, le Royaume-Uni, le Canada. Dans le système dit « dualiste », la représentation est assurée à la fois par les instances élues par le personnel et par les syndicats. Soit, en France, le comité d'entreprise et les délégués du personnel d'un côté, les délégués syndicaux de l'autre, qui cohabitent au sein d'une même entreprise. Ce système dualiste existe aussi en Allemagne, en Belgique et, depuis les années 80, en Italie. Mais il s'y applique avec des différences énormes.

Ainsi, en Allemagne, il n'y a pas de délégués syndicaux ; la représentation syndicale se fait à travers le *Betriebsrat*, équivalent des CE, dont le président cumule les fonctions d'une sorte de secrétaire de CE, avec de larges pouvoirs, et de délégué syndical. Il peut en effet, au nom du *Betriebsrat*, signer les accords locaux dans l'entreprise, alors que les syndicats, eux, signent les accords généraux. « *En France, les élus de CE n'ont pas ce droit, réservé en théorie aux délégués syndicaux* », rappelle Christian Dufour. En théorie, car, sur le terrain, c'est très différent. Et ce qui apparaît comme juridiquement distinct est, au contraire, indistinct dans les faits, puisque l'élu au CE est souvent, en France, également délégué syndical. « *De même, un président de* Betriebsrat *a le droit de signer des accords, mais s'il est un personnage faible dans l'entreprise, il ne signera rien du tout* », ajoute le chercheur.

Quant au cas anglais, « *on a beaucoup de préjugés* », estime-t-il. Mais du fait du système moniste, le *shop steward* se retrouve être une structure systématiquement syndiquée à 100 %, qui a un fort ancrage local (par site et non par entreprise comme chez nous) et donc, souvent, un fort pouvoir de négociation.

N. N.

Un rôle de négociation

Pour autant, selon Christian Dufour, les comités d'entreprise vont souvent au-delà de la simple gestion de ces activités, voire même de leur rôle d'information et de consultation, *« éventuellement jusqu'à la négociation »*. Ce dernier rôle est *« beaucoup plus développé que ce que l'on croit, dans la mesure notamment où beaucoup de CE sont tenus par des élus syndiqués »*. Aussi, dit-il, *« quand des délégués syndicaux y siègent, quand la direction de l'entreprise leur donne réellement les informations nécessaires, les comités d'entreprise sont de véritables instances de représentation des salariés. Car les conditions du rapport de force local sont plus importantes que les prescriptions juridiques »*, poursuit le chercheur.

Ce rapport de force n'est pas toujours favorable, loin s'en faut. Alors qu'on assiste à une mutation profonde du marché du travail et de la relation salariale, il convient aujourd'hui de s'interroger sur le rôle effectif des CE, ainsi que sur leur périmètre d'intervention, avec le développement de la sous-traitance par exemple ou de l'intérim (voir page 9). En France, désormais, il y a d'un côté quelques grandes entreprises, généralement des entreprises publiques ou parapubliques comme EDF, France Télécom ou la SNCF, *« où l'entrée est limitée selon des critères d'âge et de nationalité »*, rappelle Christian Dufour. Paradoxalement, les lieux les plus fermés sont aussi les plus syndiqués, dotés des CE qui ont le plus de moyens. Et d'un autre côté, il y a une multitude de structures plus petites, qui dépendent le plus souvent de grandes entreprises et *« où la présence syndicale est très faible, en majeure partie du fait de l'augmentation de la précarité »*, poursuit le chercheur. Il est important aujourd'hui de garantir à tous l'accès à cette forme de représentation du personnel que sont les comités d'entreprise. ■

Naïri Nahapétian

Les dates clés de l'histoire des CE

- **1945 :** ordonnance de création des comités d'entreprise, qui fixe à 50 le nombre de salariés nécessaires pour leur mise en place.
- **1946 :** loi qui prolonge l'ordonnance, détaille les attributions économiques du CE, instaure son rôle de consultation et lui transfère la gestion des œuvres sociales.
- **1966 :** création d'un troisième collège pour les cadres. Attribution d'un crédit d'heures de 20 heures.
- **1967 :** loi sur la participation qui accorde au CE un pouvoir de négociation en ce domaine.
- **1971 :** loi sur la formation professionnelle ; le CE doit dorénavant être consulté sur le plan de formation de l'entreprise.
- **1975 :** loi sur les licenciements économiques qui subordonne l'autorisation administrative de licenciement à la consultation du CE.
- **1982 :** lois Auroux qui étendent les prérogatives des CE et créent une dotation obligatoire de 0,2 % de la masse salariale brute pour leur budget de fonctionnement.
- **1984 :** création de la procédure d'alerte.
- **1986 :** renforcement du rôle du CE dans les procédures de licenciement économique.
- **2002 :** la loi de modernisation sociale accorde des pouvoirs élargis aux CE.
- **2003 :** de nombreuses mesures législatives reviennent sur la loi de modernisation sociale.
- **2005 :** loi portant de deux à quatre ans la durée du mandat des élus au CE et des délégués du personnel.

Trois grandes périodes dans l'histoire des CE

Bien que marqués dès leur création par les compromis sociaux qui ont fixé leur rôle, les CE ont connu une forte expansion à partir des années 60. Aujourd'hui, il faut qu'ils renouent avec leur philosophie d'origine, notamment en ce qui concerne les activités sociales et culturelles.

P.-E. Le Goff

Jacques Le Goff,

juriste, historien du droit et auteur de *Du silence à la parole. Une histoire du droit du travail des années 1830 à nos jours*, éd. Presses universitaires de Rennes, 2004.

Quelle est l'origine des comités d'entreprise ?

Les comités d'entreprise de 1945 n'ont pas vu le jour brutalement. Il y avait eu auparavant bien des signes annonciateurs. En remontant au plus loin, on peut citer quelques expériences pionnières menées par des patrons éclairés. Je pense, par exemple, à l'initiative de Léon Harmel, pourtant très paternaliste, qui crée dans sa filature du Val-des-Bois près de Reims, aux alentours des années 1880, un conseil d'usine. L'objectif était d'instaurer un relais entre direction et travailleurs, tout en contribuant à la sensibilisation des salariés aux problèmes économiques de l'entreprise.

Beaucoup plus près de 1945, deux expériences seront décisives. D'abord celle des comités sociaux d'entreprise, créés sous Vichy par la Charte du travail de 1941. Conçus sans passion, ils vont rencontrer un succès inattendu du fait de la pénurie de produits de première nécessité. Par des achats groupés, la création de coopératives de consommation…, ils permettent en effet de négocier au mieux et de pourvoir à l'approvisionnement. D'où leur sobriquet de « comités patates » qui leur restera jusqu'au début des années 50. Ensuite, une expérience de style autogestionnaire à la Libération : des comités de gestion vont se créer un peu partout en France, de façon très spontanée, pour assurer dans bien des cas une direction devenue vacante par suite de collaboration. Il y en aura une bonne centaine à Lyon, Marseille, Toulouse…

Et n'oublions pas que le programme de 1944 du Conseil national de la résistance accordait une très grande importance à la démocratie sociale comme élargissement et approfondissement de la démocratie politique. La création des comités d'entreprise prend une place centrale dans ce projet, mais restait la question du pouvoir à leur reconnaître. Va-t-on, comme le dira le futur ministre communiste Ambroise Croizat, *« faire du capital le salarié du travail »* dans un esprit de *« contrôle ouvrier »* extensif et subversif ? Ou faut-il s'en tenir à une formule plus prudente préservant, dans un contexte de chaos économique, les prérogatives des directions d'entreprise non remises en cause en tant que telles, mais soumises au contrôle des représentants du monde du travail sur un mode strictement consultatif, c'est-à-dire limité ? C'est la seconde solution qui prévaudra au terme d'un compromis entre, d'un côté, l'abandon d'un pouvoir décisionnel ouvrier en matière économique et, de l'autre, la reconnaissance, au profit de la délégation salariée au CE, d'un monopole de gestion des œuvres sociales. Et, dans le fond, toute la philosophie du dispositif est ainsi fixée pour longtemps, puisque les réformes postérieures, y compris les lois Auroux de 1982, n'en modifieront pas l'économie interne.

Comment ont-ils évolué ensuite ?

On peut distinguer grosso modo trois grandes périodes. La première va de 1946 à 1960, soit le début des Trente Glorieuses. Après un démarrage relativement prometteur, le rôle des comités d'entreprise est demeuré pour l'essentiel modeste, ce qui s'explique par deux facteurs : la reconstruction et le contexte de guerre froide, avec ses conséquences majeures sur la politique intérieure. La CGT perçoit les CE comme des instances revendicatives, ce qui n'est pourtant pas l'esprit de la loi. Et les employeurs, en grande majorité réticents sinon hostiles, trouvent dans ce gauchissement de bonnes raisons de limiter leur fonctionnement à sa plus simple expression. Passe encore pour les œuvres sociales ! Tant qu'ils font cela, ils ne s'occupent pas d'autre chose ! Mais l'activité économique demeure la chasse gardée des patrons et le principe de réalité de l'époque joue en leur faveur.

Dans la décennie des années 60, les prérogatives économiques des CE vont se trouver renforcées. De surcroît, la participation et l'intéressement comme l'essor de la formation professionnelle constitueront un stimulant de première importance. D'où la forte expansion des CE, qui passent de 8 500 au milieu des années 60 à 35 000 au début des années 80. Avec la fin de la guerre froide, le conflit n'interdit plus l'échange et le débat, certes encore houleux, mais de plus en plus fécond. Et puis, à la faveur de la construction européenne, on s'avise du retard de la France dans le domaine des relations sociales et du style de gouvernement de l'entreprise. D'où les propositions de réforme culminant avec le rapport Bloch-Lainé de 1963. Ce rapport lance véritablement le débat et sera au final couronné en 1968 par la reconnaissance des syndicats dans l'entreprise.

Enfin, les lois Auroux ouvrent une troisième période, même si rétrospectivement, leurs effets restent en deçà des espérances qu'elles avaient fait naître. Ces textes ne visent pas à modifier l'architecture, mais à rendre plus habitable et plus vivant l'édifice de 1945-1946 : enrichissement des moyens mis à la disposition des comités en matière d'information (spécialement par recours élargi aux experts), formation et niveau de consultation. Un des aspects remarquables de 1982 est en effet le souci d'ajuster le niveau de consultation à la nouvelle configuration économique avec, en particulier, la création des comités de groupe. Mais la réforme tombe en pleine crise, à un moment où les CE sont le dos au mur et se trouvent dans bien des cas voués à limiter les dégâts des plans de restructuration plus qu'à contrôler, au jour le jour, la gestion de l'entreprise. Ce sera une belle occasion, il faut bien le reconnaître, un peu manquée. Mais le contexte culturel de promotion de l'individu n'était pas non plus très porteur pour des institutions fondées sur une représentation du collectif probablement déjà datée.

Et aujourd'hui ?

Aujourd'hui, il existe une grande différence entre les CE des grandes entreprises, où les employeurs jouent bien le jeu, et ceux de plus petites structures, marqués par la prééminence assez nette des activités sociales et culturelles. Mais il faut dire que ce dernier aspect demeure encore privilégié par les salariés. On peut parler d'un divorce entre la représentation qu'ils se font du CE et la manière dont leurs représentants conçoivent leurs missions, davantage axées sur le plan économique. Il faudrait nuancer car bien des comités d'entreprise, y compris des grands, cèdent à la tentation de « faire plaisir » et de caresser les salariés dans le sens du poil.

Les activités sociales et culturelles, c'est quand même plus gratifiant que l'explication d'un budget ou d'un plan de formation. Paradoxalement, si l'idée d'origine était de s'arracher au paternalisme patronal, on constate la persistance, par déplacement, de ce que j'appellerais aujourd'hui un « maternalisme » des CE, non dénué d'une certaine forme de clientélisme. Et, au fond, il reste encore et toujours à en revenir aux intuitions initiales qui étaient de promouvoir des acteurs novateurs et non d'encourager les comportements consuméristes. Le soixantième anniversaire des CE pourrait être une belle occasion de renouer avec le beau projet de démocratie sociale encore en gésine. ■

Propos recueillis par N. N.

Un recul législatif

Le rôle économique des comités d'entreprise devait être renforcé par la loi de modernisation sociale de 2002, promulguée par le gouvernement de Lionel Jospin. Mais elle a été peu à peu démantelée par la nouvelle majorité.

Les CE sont-ils des instruments de démocratisation de l'entreprise ?

Le comité d'entreprise est obligatoirement informé et consulté sur les questions intéressant l'organisation, la gestion et la marche générale de l'entreprise. Le nombre des consultations est si important que cela équivaut à un pouvoir de contrôle et constitue donc un élément de démocratisation. L'expression « fonction de contrôle » figurait d'ailleurs dans l'exposé des motifs de la loi de 1982 qui a élargi les prérogatives du comité d'entreprise.

Certes, le CE n'a pas de droit de veto, sauf dans certains cas marginaux, mais il dispose de plusieurs droits d'alerte. Il peut interpeller le conseil d'administration ou de surveillance de la société, transmettre ses observations à l'assemblée générale des actionnaires. Deux représentants du comité assistent à cette assemblée. Il peut aussi, en cas d'urgence, demander au tribunal de commerce de désigner un mandataire chargé de convoquer l'assemblée générale des actionnaires. Une alliance de fait est donc possible avec des actionnaires minoritaires.

Olivier Perriraz/NVO

Maurice Cohen,

directeur de la *Revue pratique de droit social*, auteur du traité *Le droit des comités d'entreprise et des comités de groupe*, éd. LGDJ, 8e éd., 2005.

La loi de modernisation sociale de 2002 proposait d'accroître encore ce pouvoir...

La loi du 17 janvier 2002, dite de modernisation sociale, a notamment renforcé les droits des comités d'entreprise en cas de projet de restructuration et de compression des effectifs : possibilité de formuler des propositions alternatives avec l'aide de l'expert-comptable du comité payé par l'entreprise ; réponse motivée du chef d'entreprise à ces propositions avant tout plan de sauvegarde de l'emploi (anciennement dénommé « plan social ») ; et, surtout, en cas de suppression de 100 emplois ou plus, droit d'opposition du comité d'entreprise avec saisine d'un médiateur et suspension du projet. Ce n'est pas un droit de veto, mais tout de même un large droit d'opposition suspensif. Par ailleurs, en cas de cessation partielle ou totale d'activité supprimant au moins 100 emplois, le chef d'entreprise devait remettre au conseil d'administration ou de surveillance de la société une étude d'impact social et territorial.

Parallèlement, la loi de 2002 a précisé que la consultation du comité (dite « livre IV ») sur le projet économique de l'employeur doit précéder la consultation (dite « livre III ») sur les licenciements économiques projetés. Elle a détaillé les modalités du plan de sauvegarde de l'emploi, comme par exemple l'obligation préalable d'engager des négociations en vue de la conclusion d'un accord sur les 35 heures. Et le comité d'entreprise devait se réunir de plein droit en cas d'annonce publique portant sur la stratégie économique de l'entreprise.

En outre, le licenciement pour motif économique d'un salarié ne peut intervenir que lorsque tous les efforts de formation et d'adaptation ont été réalisés et que si des offres de reclassement écrites et précises dans l'entreprise ou le groupe ont été faites.

Quelle évolution du rôle des comités d'entreprise révèlent les réformes postérieures à la loi de modernisation sociale ?

Dès son arrivée au pouvoir en 2002, la nouvelle majorité de droite s'est attachée à défaire une partie des réformes antérieures. C'est ainsi qu'une loi du 3 janvier 2003 a suspendu pour dix-huit mois l'application de 11 articles de la loi de modernisation sociale. Puis une loi du 30 juin 2004 a porté cette suspension à vingt-quatre mois. Et enfin, les articles suspendus ont été carrément supprimés par la loi du 18 janvier 2005 dite de « programmation pour la cohésion sociale ».

Ces lois ont notamment supprimé le droit d'opposition du comité d'entreprise avec saisine d'un médiateur ; l'obligation de consulter le comité sur la stratégie avant la consultation sur les licenciements ; l'obligation d'une négociation préalable sur la réduction du temps de travail ; la réunion du comité en cas d'annonce publique ; la consultation spécifique avant le lancement d'une offre publique d'achat (OPA), le CE de l'entreprise qui la lance n'étant plus consulté qu'après la publication officielle de l'offre ; etc.

Cette loi de janvier 2005 s'est aussi attaquée à l'un des piliers de l'ordre public social, le principe de faveur. Elle a permis en effet de déroger, au moyen d'accords collectifs qui peuvent être minoritaires, aux dispositions des livres III et IV du code du travail sur les modalités de consultation du comité. Enfin, conformément à l'une des propositions du Medef, une loi du 2 août 2005 a porté de deux à quatre ans le mandat des représentants du personnel, ce qui, compte tenu de la mobilité du personnel, rend plus difficile la recherche de candidats. Les prérogatives des comités d'entreprise ont donc été sérieusement malmenées depuis quatre ans, même si la jurisprudence a parfois tenté de redresser la barre. ■

Propos recueillis par N. N.

Une institution marquée par la stabilité

Dares

Thomas Amossé, responsable statistiques à la Dares.

Dares

Olivier Jacod, chargé d'étude à la Dares.

Dares

Catherine Bloch-London, chef du département relations professionnelles et temps de travail de la Dares.

La Dares, du ministère de l'Emploi, du Logement et de la Cohésion sociale produit régulièrement des statistiques et des études sur les comités d'entreprise. Leur évolution est marquée, selon ses spécialistes, par une stabilité qui montre que ces institutions fonctionnent bien.

D'où viennent les données sur les comités d'entreprise exploitées par la Dares ?

Les entreprises assujetties aux élections de comités d'entreprise doivent envoyer les procès-verbaux concernant ces scrutins aux sections des inspections du travail dont elles dépendent et qui contrôlent leur bon déroulement. Ces données sont ensuite saisies par un prestataire, avant que la Dares ne les récupère pour les exploiter. Sur le dernier cycle électoral (2003-2004), environ 27 000 comités d'entreprise et délégations uniques du personnel (DUP) ont été ainsi recensés. L'exploitation statistique des résultats d'élection permet entre autres de mesurer le nombre d'inscrits, le taux de participation, la répartition par collège des suffrages exprimés en faveur des différentes listes, qu'elles soient syndicales ou sans étiquette, et les sièges correspondants.

Tous les six ans, l'enquête Relations professionnelles et négociations d'entreprise (Reponse) apporte un éclairage complémentaire sur l'existence et le fonctionnement des institutions représentatives du personnel, dont les CE et les DUP. Parce qu'elle interroge à la fois des représentants des directions d'entreprise, des représentants du personnel et des salariés et qu'elle aborde des thèmes aussi variés que la situation économique, l'organisation du travail, les politiques de ressources humaines, la négociation et les conflits, cette enquête fournit un panorama des relations professionnelles dans les entreprises.

Et comment, d'après ces données, les CE et les DUP ont-ils évolué ?
D'après l'enquête Reponse, quatre établissements sur cinq soumis à l'obligation légale d'organiser des élections (c'est-à-dire ceux de plus de 50 salariés) ont un CE ou une DUP. Cette présence est plus forte dans l'industrie, surtout dans les secteurs comme l'automobile et les biens de consommation. Elle est légèrement plus faible dans les services. Dans les entreprises de moins de 200 salariés, on compte moins de CE que de DUP qui, mises en place en 1994 afin de simplifier l'instauration d'institutions représentatives du personnel dans les petites structures, rencontrent un succès qui ne se dément pas.

En ce qui concerne le déroulement des élections, on constate une augmentation de la participation sur les deux derniers cycles électoraux. D'ailleurs, même si la participation a suivi une tendance à la baisse depuis le début des années 80, où elle atteignait 71 %, elle se situe encore à un niveau élevé pour des élections professionnelles : 65 %, contre la moitié aux dernières élections prud'homales de 2002. En dehors des créations, fusions et disparitions d'entreprise, les CE et les DUP sont des institutions relativement stables, tant du point de vue de leur existence que de la participation aux élections.

Pour les représentants du personnel, mais aussi des directions d'entreprise, ce sont des structures dont le rôle effectif est présenté comme conforme à leurs prérogatives, aussi bien en ce qui concerne les activités sociales et culturelles que l'information économique des salariés. Leurs missions étant moins directement liées à la négociation que celles des délégués syndicaux, elles sont moins perçues comme des lieux de conflit et de fait moins remises en cause.

Dans les entreprises de moins de 50 salariés, où l'on trouve beaucoup de DUP, près de 60 % des élus proviennent des listes non syndiquées, ce qui n'est pas le cas des grands établissements. Mais depuis une quinzaine d'années, l'audience des listes syndiquées et non syndiquées a connu des évolutions contrastées : jusqu'au milieu des années 90, on a assisté à un déclin syndical et une montée des listes non syndiquées ; on a ensuite assisté à une

Les résultats des élections 2004

La participation aux élections aux comités d'entreprise est en hausse depuis 2000, d'environ un point tous les deux ans. En 2004, dans les établissements ayant organisé de telles élections cette année-là, 66 % des salariés, soit 3 millions de personnes, ont voté. La CGT recueille 25 % des suffrages exprimés, la CFDT 20 %, FO 13 %, les syndicats non confédérés 8 %, la CFE-CGC et la CFTC chacune 6 %.

L'audience de la CGT a augmenté essentiellement aux dépens de la CFDT. La CGT garde sa première place dans le collège ouvriers et employés, tandis que la CFDT, bien qu'en baisse, garde sa prééminence dans le collège agents de maîtrise, techniciens, ingénieurs et cadres. La CFE-CGC conserve son premier rang dans le collège ingénieurs et cadres. Les listes non syndiquées recueillent quant à elles 22 % des suffrages exprimés. Elles remontent ainsi leur audience de 0,7 point par rapport à 2002, alors que celle-ci ne cessait de s'éroder depuis le début des années 90.

Source : « Les élections aux comités d'entreprise en 2004 », par Olivier Jacod, *Premières Synthèses* n° 08.3, février 2006.

résistance de ces organisations, voire à une remontée pour la CFDT et la CFTC, organisations qui ont mis en œuvre des politiques actives de syndicalisation ; à partir de 2002, un nouveau repli des listes syndicales s'est amorcé. La CFDT a particulièrement perdu du terrain entre 2002 et 2004.

Comment s'articulent les différentes instances de représentation du personnel ? Ainsi, les entreprises dotées d'un CE ou d'une DUP sont-elles les mêmes que celles qui ont des délégués du personnel ou des délégués syndicaux ?

Dans les petites structures, la présence des institutions représentatives se limite en règle générale aux délégués du personnel (DP) : seuls les deux tiers des établissements de 20 à 50 salariés ont un représentant du personnel et dans 5 cas sur 6, c'est un DP. Dans les établissements de plus de 50 salariés, il y a en revanche le plus souvent à la fois un CE et des DP (ou une DUP, qui a, lorsqu'elle existe, les attributions de ces deux structures). En comparaison des institutions élues, la présence de délégués syndicaux (DS) est loin d'être systématique : même dans les établissements de plus de 50 salariés, elle concerne moins de deux établissements sur trois.

Cependant, si la loi sépare bien les rôles de ces différentes institutions – aux CE l'information économique et la gestion des activités sociales et culturelles, aux DP le règlement des problèmes individuels, aux DS la négociation –, la réalité est en général bien plus complexe. En effet, les équipes de représentation du personnel travaillent le plus souvent en étroite collaboration, d'autant plus que les cumuls de mandat sont nombreux. En outre, en l'absence de délégués syndicaux, un salarié mandaté ou des représentants élus sont habilités à négocier. En ce qui concerne le mandatement, cette possibilité introduite par l'accord national interprofessionnel de 1995 a été entérinée par la première loi Aubry en 1998 et largement utilisée pour négocier des accords de réduction de la durée du travail. Quant à la négociation avec des représentants élus (DP, CE), cette possibilité a été reconnue par la loi du 4 mai 2004 relative à la formation professionnelle tout au long de la vie et au dialogue social. ■

Propos recueillis par N. N.

De véritables instances de représentation des salariés

Le talon d'Achille des élus est leur relation avec les salariés, qui ne va pas de soi. Elle demande un véritable travail de pédagogie aux membres du comité d'entreprise.

Les comités d'entreprise ont aujourd'hui gagné leurs galons. Leur nom est souvent utilisé comme un synonyme de la représentation des salariés dans son ensemble. Cela est d'autant plus paradoxal que la France répartit en une multiplicité d'instances cette représentation dans les entreprises : délégués du personnel, comité d'entreprise, délégation syndicale, comités spécifiques dont ceux dévolus à la sécurité et à la santé, etc. Les comités d'entreprise ne disposent en outre pas de l'une des fonctions régaliennes de la représentation, celle de négocier. Au fil du temps, ils se sont imposés comme le navire amiral de la flottille d'institutions qui navigue autour d'eux.
Cela n'était pas joué au départ. Dans les années 60, ils n'exerçaient qu'un rôle secondaire. Il a fallu la crise économique, sa durée et un apprentissage long, voire douloureux, pour que certaines des prérogatives deviennent des fonctions clés aux mains des représentants. Pour parvenir à s'imposer ainsi, les CE ont bénéficié d'un concours de circonstances. Cela ne va pas sans risque. Tout montre que le talon d'Achille des représentants est leur relation avec les salariés. Il n'est aucune de leurs tâches qui échappent à cette règle.

L'institution la plus populaire auprès des salariés

Les comités sont l'institution la plus populaire auprès des salariés. Il faut dire qu'elle est porteuse d'avantages perceptibles, résumés sous le terme d'activités sociales et culturelles. Les salariés ressentent comme un manque lorsque ces avantages ne sont pas substantiels. Ils sont d'ailleurs souvent prêts à en faire reproche à leurs élus. Vous êtes élus et que faites-vous ? Pourquoi n'avons-nous pas les mêmes avantages que les salariés d'à côté ? Les élus, même pleins de bonne volonté, même persuadés de faire déjà beaucoup sur leur temps à eux, se trouvent souvent pris à partie comme s'ils étaient des employés du service social de l'entreprise.
La prise en charge des activités sociales et culturelles ne se limite pas à la gestion de moyens ou au développement d'initiatives. Inévitablement, elle consiste aussi à répartir ces moyens et à trier parmi les initiatives. Cela signifie que les élus ne peuvent s'affranchir de débats avec les salariés, ni d'explications sur leurs choix. Les commissions spécialisées, même de taille réduite, l'appel à des volontaires non élus pour appuyer la démarche du CE peuvent être de bons atouts pour faire de ce dernier une maison commune, où les choix sont transparents. Rien de pire qu'une situation où les salariés

deviennent soupçonneux à l'endroit de leurs représentants aux CE, en même temps qu'ils refusent de s'engager dans l'action au sein du comité.

Expliquer la démarche

Les comités ont mis plus de temps à prendre en charge leurs responsabilités économiques. Aujourd'hui encore, nombre d'entre eux ne mettent pas cet aspect au centre de leur agenda. Il faut dire que cette responsabilité est parfois plus dure à assumer. Moins consensuelle que les activités sociales et culturelles, elle conduit plus vite à une confrontation avec l'employeur. Lequel y voit un possible empiètement sur ses prérogatives. L'équipe d'élus est alors soumise à une contestation de son rôle au sein de l'entreprise. Pour résister aux accusations ouvertes ou implicites d'être des fauteurs de désordre, d'instiller le soupçon, de porter atteinte à la cohésion de l'entreprise, il faut que les élus fassent preuve entre eux de beaucoup de solidarité. Il faut, là aussi, qu'ils prennent soin d'expliquer leur démarche auprès des salariés. Pourquoi est-il nécessaire de faire appel à un expert-comptable indépendant ? Pourquoi est-il important de disposer régulièrement de chiffres que l'entreprise voudrait tenir secrets ? Pourquoi le 0,2 % est-il réservé au fonctionnement du comité ?

ZOOM Sur le terrain

Quel bilan peut-on tirer aujourd'hui de l'exercice des droits des comités d'entreprise et de leur utilisation ? Une enquête de l'Institut de recherches économiques et sociales (Ires) et de la Dares, du ministère de l'Emploi, menée début 1996 auprès d'un échantillon représentatif de 2 300 comités d'entreprise a permis de disposer de données précises et inédites. Le bilan est pour le moins contrasté. Les secrétaires de comité interrogés affichent un sentiment de satisfaction assez large concernant la qualité de l'information dont ils disposent. Au premier abord, les secrétaires syndiqués, soit à peu près la moitié de l'échantillon, sont moins satisfaits que les non syndiqués : ils sont 32 %, contre 48 %, à trouver l'information disponible « généralement bonne ». Mais ils sont 85 % à la considérer comme bonne, même si elle est parfois difficile à obtenir ou lacunaire sur certains sujets. Cette satisfaction globale, qui ne distingue guère les syndiqués des non-syndiqués, est à noter.

Les comités d'entreprise français disposent d'un droit d'appel à expert relativement plus développé que leurs homologues dans d'autres pays. Dans l'ensemble, ce droit d'expertise est surtout mis en œuvre par les comités syndiqués. 55 % d'entre eux l'utilisent, contre seulement 12 % des comités non syndiqués. Ceux qui font appel à l'expertise estiment à 50 % qu'elle leur est indispensable et à 43 % qu'elle leur est utile. C'est presqu'un plébiscite, même si une petite minorité de secrétaires qui utilisent des experts sont très partagés quant aux effets de ces expertises : 44 % estiment qu'elles influencent la direction et 45 % qu'elles sont sans effet.

Les comités ne sont pas seulement informés sur la situation économique, commerciale ou sociale de leur entreprise, ils sont aussi consultés à un certain nombre d'occasions, sur les décisions de la direction. En la matière, les secrétaires sont encore plus satisfaits que sur leurs droits à l'information. A

Les CE tiennent souvent des permanences. Il est intéressant de se demander ce qui se passe dans ces moments de contacts privilégiés entre les CE et leur « clientèle ». Cela ressemble-t-il à un guichet de distribution de tickets gratuits auprès d'ayants droit exigeants et sourcilleux ? Cela permet-il d'engager des échanges, même brefs, sur la situation du visiteur ou de la visiteuse sur son travail, sa famille ou ses collègues ? Cela conduit-il à transformer le CE en distributeur automatique ou en lieu de communication ?

Un travail d'équipe

Les représentants nouvellement élus dans les CE perdent assez vite une double illusion. Celle qu'il suffit d'être élu pour que les collègues vous fassent confiance et celle qu'il suffit de connaître ses droits pour qu'ils s'appliquent. L'élection ne remplace pas le maintien d'un lien vivant et quotidien avec les collègues, au contraire. Elle le rend d'autant plus nécessaire que l'élection peut créer un soupçon de prise de distance. Le droit ne suffit pas à donner de la légitimité : vous avez le droit de demander des informations à l'employeur, mais vos collègues reconnaissent-ils que vous êtes en état d'exercer ce droit, sont-ils prêts à vous soutenir dans cet exercice ?

---

la question de savoir si la consultation se mène suivant les règles, 86 % répondent de façon positive. Les syndiqués répondent un peu plus positivement (88 %) que les non-syndiqués (83 %). Il existe encore une corrélation très forte avec la taille des établissements : la situation est moins bonne dans les entreprises de 50 à 99 salariés que dans les plus grandes. Les secrétaires d'établissement de plus de 1 000 salariés manifestent une réserve sur ce sujet, comme s'ils étaient plus fréquemment en butte à des réticences de la part des employeurs. Mais au total, seuls 9,5 % des secrétaires estiment que l'avis du comité n'est pas « généralement recueilli suivant les termes prévus par la loi ».

Le système serait-il alors parfait ? A un détail près : il ne change pas grand-chose aux relations de pouvoir dans l'entreprise. Les secrétaires de comité sont rompus aux distinctions juridiques entre droit d'information, droit de consultation et droit de décision. Ils sont bien informés, régulièrement consultés, mais guère écoutés. 62 % des secrétaires non syndiqués et 66 % des secrétaires syndiqués jugent que les consultations sont « généralement sans influence sur les décisions de l'employeur » ou « de pure forme, juste pour satisfaire à la loi ».

Sur l'efficacité de leur action en général, les secrétaires infléchissent leur appréciation. Ils pensent majoritairement qu'ils ne peuvent faire évoluer les positions de la direction que rarement et sur des points de détail.

Mais deux observations se dégagent de leurs réponses. D'une part, les syndiqués sont moins pessimistes que les non-syndiqués : 40 % des premiers, contre 30 % des seconds, estiment pouvoir faire parfois évoluer les positions de la direction sur des points importants. D'autre part, ce sentiment ne diverge guère d'une organisation syndicale à l'autre ; il existe une grande proximité d'appréciation sur leur efficacité.

N. N. et C. D.

Plus que le code ou le juge, le lien des représentants avec les salariés est le véritable arbitre de ce qui leur est vraiment permis ou interdit.
On n'est jamais un représentant isolé. La représentation se mène en équipe, et cette équipe ne doit pas ressembler à une chaloupe de naufragés perdus au milieu de la mer. Rien n'est écrit dans les textes sur les relations que les représentants doivent entretenir entre eux. Rien n'est écrit non plus sur les liens nécessaires entre les différents rôles exercés au sein d'une entreprise : délégués du personnel, comité d'entreprise, délégués syndicaux, etc. La pratique montre que la différence entre les bonnes et les moins bonnes équipes de représentants se joue pourtant dans cet espace-là, celui de la communication entre les représentants eux-mêmes et entre eux et leurs mandants, les salariés. Plus que l'exercice complet des droits, la qualité de l'échange entre les uns et les autres est signe de vitalité ou de faiblesse des institutions représentatives. Les salariés font confiance aux équipes d'élus qu'ils savent solidaires, convaincues et ouvertes. Ils sont distants vis-à-vis d'élus qu'ils ressentent comme isolés les uns des autres, flottants dans leurs convictions et enfermés dans leur statut.
Là est sans doute la principale difficulté du travail au sein des CE. Consacrer du temps à la mise en relation entre les uns et les autres. Une fonction qui n'est pas inscrite dans le droit, mais qui est inscrite dans la nature même de l'exercice d'une représentation collective. ■

Christian Dufour

directeur adjoint de l'Institut de recherches économiques et sociales*

* Coauteur des *Comités d'entreprise. Enquête sur les élus, les activités et les moyens*, Ires-Dares, coéd. ministère de l'Emploi et de la Solidarité et éd. de L'Atelier, 1998.

La vie des CE

Le fonctionnement du comité d'entreprise est soumis à des règles précises, tout comme ses liens avec les autres instances de représentation du personnel et avec ceux qui l'aident dans la mise en œuvre de ses missions (experts, formateurs...).

Créer et faire fonctionner un CE

Quand faut-il créer un comité d'entreprise ou un comité d'établissement ou de groupe ? Clarification des rôles de ces instances.

Une délégation du personnel élue, une représentation syndicale désignée et le chef d'entreprise, telle est la composition du CE. Celui-ci est une instance de dialogue, investie de deux missions : gérer les activités sociales et culturelles et assurer la défense des intérêts des salariés grâce à ses droits d'information et de consultation.
La création d'un comité d'entreprise est obligatoire dans toute entreprise de plus de 50 salariés. Est définie comme telle une structure ayant employé ce nombre de personnes pendant douze mois (consécutifs ou non) au cours des trois années précédant les élections. Les salariés à temps partiel sont pris en compte en fonction de leur temps de travail, les salariés en contrat à durée déterminée (CDD) en fonction de leur temps de présence.
Les entreprises du secteur privé et les établissements publics qui emploient du personnel dans des conditions de droit privé sont concernés. La fonction publique et les autres établissements publics ne sont pas soumis à cette obligation, mais peuvent se doter de comités d'œuvres sociales (qui ont une forme associative). Dans les entreprises de moins de 50 salariés, des CE peuvent être créés après accord avec le chef d'entreprise.
La mise en place d'un comité d'entreprise suppose l'organisation d'élections : l'employeur propose aux organisations syndicales une date pour le scrutin, dont le déroulement fait l'objet d'un accord. Ensuite, il faut le doter des moyens de remplir ses missions : un budget de fonctionnement, un autre pour les activités sociales et culturelles, et un crédit d'heures de 20 heures par mois pour les élus.

Les attributions du comité d'établissement

Dans les entreprises dotées d'établissements distincts qui comptent chacun plus de 50 salariés, on peut instituer des comités d'établissement, chapeautés par un comité central d'entreprise (CCE).
Trois critères permettent de déterminer l'existence d'un établissement distinct : une implantation géographique propre, la stabilité du groupe de salariés et un degré d'autonomie suffisant. Le nombre de représentants à élire est fonction des effectifs (voir tableau page 29) et le comité d'établissement a des compétences et des moyens identiques à ceux d'un comité d'entreprise, dans les limites des pouvoirs du chef d'établissement.
Le comité central d'entreprise, de son côté, doit être mis en place dans les entreprises à sites multiples lorsqu'au moins deux de ces sites disposent d'un comité d'établissement. Ses membres, dont le nombre est limité à 20 titulaires et 20 suppléants, sont des représentants des comités d'établis-

sement. Ces derniers assurent et contrôlent la gestion de toutes les activités sociales et culturelles ; ils peuvent aussi conclure un accord pour confier au CCE la gestion des activités communes, en prévoyant de lui verser à cette fin une partie de leur contribution. Le CCE exerce en outre les attributions économiques qui concernent la marche générale de l'entreprise et non d'un seul établissement : il est informé et consulté. Il peut arriver que l'employeur ait à consulter à la fois le ou les comités d'établissement et le CCE. Par exemple quand un projet de licenciements vise plusieurs établissements. En revanche, le droit d'alerte (voir page 54) peut être exercé par le comité d'entreprise ou le comité central, mais non par le comité d'établissement.
Un comité de groupe peut également être créé lorsque des sociétés forment un groupe composé d'une entreprise dominante et de ses filiales. La délégation du personnel y est alors constituée d'élus des comités d'entreprise ou d'établissement. Le comité de groupe est une instance d'information et de dialogue et non de consultation, mais il reçoit de nombreuses informations économiques et financières concernant l'activité du groupe et de ses entreprises.
Par ailleurs, si plusieurs entreprises constituent une unité économique et sociale (UES) ayant des activités complémentaires, faisant l'objet d'une concentration des pouvoirs et d'une unité de direction, un comité d'UES peut être constitué. L'UES est en effet considérée comme une entreprise unique au regard de l'obligation de mise en place des CE. De ce fait, le comité d'UES en a les attributions.
Enfin, le comité interentreprises (CIE) permet aux salariés de PME de bénéficier des avantages d'un comité d'entreprise en matière sociale et culturelle. Sa constitution passe par un accord au sein d'une profession ou entre les entreprises d'une ville. Il comprend un président, représentant les chefs d'entreprise, et des représentants des salariés de chaque entreprise. Un outil qui permet en partie de répondre à cette inégalité entre salariés qui voit ceux des grandes entreprises bénéficier à plus de 80 % de l'outil des CE, alors que ceux des PME en sont généralement privés. ■

Naïri Nahapétian

Que faire en cas de délit d'entrave ?

Quand la constitution, l'élection ou la libre désignation des membres du comité est empêchée, il y a délit d'entrave (art. L 483-1 du code du travail). De même, il peut y avoir délit d'entrave au fonctionnement régulier du CE quand, par exemple, son action de protection contre les licenciements est empêchée. C'est généralement l'employeur qui commet le délit d'entrave, par un fait ou une omission, mais les élus peuvent aussi le commettre. Pour lancer les poursuites, il faut soit demander à l'inspecteur du travail d'établir un procès-verbal, soit déposer une plainte sans se constituer partie civile auprès du procureur de la République, soit encore se constituer partie civile auprès du tribunal correctionnel. La sanction est pénale (peine d'emprisonnement d'un maximum d'un an ou amende de 3 750 euros maximum). Mais dans le cas d'une décision prise par le chef d'entreprise sans consultation du CE, la peine ne se traduit pas par l'annulation de cette décision. Pour obtenir une « obligation de faire », par exemple verser les subventions ou communiquer divers documents, le comité doit agir devant les juridictions civiles, tribunal de grande instance ou tribunal d'instance.

L'organisation des élections

Le CE comprend des membres désignés, mais aussi des membres élus qui composent la délégation du personnel en son sein. Leur élection, qu'ils soient titulaires ou suppléants, se déroule, sauf accord dérogatoire, tous les quatre ans depuis la réforme du 2 août 2005 (au lieu de deux ans précédemment). La procédure est très précise. Le premier tour doit se dérouler obligatoirement dans la quinzaine qui précède l'expiration du mandat du comité d'entreprise. Les membres du CE sont élus au scrutin de liste à deux tours, à la proportionnelle. Et le vote, organisé par collèges, selon les catégories de salariés (ouvriers, employés, cadres, etc.), a lieu de façon séparée pour chacun d'eux.

Le protocole préélectoral

Avant la tenue du vote, l'employeur doit inviter les organisations syndicales à négocier un protocole préélectoral obligatoire. Quand elles ne sont pas présentes dans l'entreprise, il doit s'adresser aux représentants des unions locales de syndicats en s'assurant que toutes les organisations représentatives ont leur mot à dire. Le protocole fixe la répartition du personnel dans les collèges électoraux où vote chaque catégorie de salariés, la répartition des sièges entre ces catégories, l'organisation du scrutin, les modalités de vote par correspondance. Certaines de ces clauses doivent être signées à l'unanimité pour être valables. Dans le cas de la mise en place d'un comité central d'entreprise, le protocole précise le nombre d'établissements distincts, la répartition des sièges entre ces établissements et les différentes catégories.

ZOOM Un scrutin chez Ikea Paris-Nord

Ahmed Dar Alia est élu CFDT au comité d'établissement d'Ikea Paris-Nord depuis un an, où il assume la fonction de trésorier adjoint. Dans cet établissement de 500 salariés, où les syndicats sont très présents, quatre organisations se partagent les six sièges des élus titulaires : deux d'entre eux représentent FO, deux autres la CGC, un la CFDT et un la CFTC. Leurs suppléants sont de la même couleur syndicale et composent ainsi les douze membres élus du CE.

L'accord préélectoral avait prévu la mise en place de trois collèges : quatre sièges élus par le collège employés, un par le collège maîtrise d'œuvre et un autre par le collège cadres. Mais les sièges se répartissent aussi *« à la proportionnelle,* explique Ahmed Dar Alia, *avec un système de quotient calculé en fonction du nombre de votants ».* Ainsi, chaque organisation qui atteignait le nombre de votants prévu par l'accord préélectoral au sein de l'établissement avait automatiquement un siège, ou plus s'il dépassait le seuil fixé. Comme il s'agit d'un établissement de plus de 300 salariés, un délégué syndical par organisation est également membre de droit du CE. Ahmed Dar Alia siège ainsi à la fois comme élu et comme délégué syndical. En comptant le représentant du chef d'établissement, en l'occurrence le responsable des ressources humaines, les réunions devraient ainsi voir siéger 17 membres au total. Une dizaine en moyenne sont présents chaque mois.

Le scrutin

Pour être électeur, il faut être âgé de 16 ans et salarié de l'entreprise depuis au moins trois mois. Les intérimaires sont électeurs dans leur entreprise de travail temporaire. Et les dirigeants de l'entreprise ne peuvent prendre part à l'élection. Pour être élu, il faut être âgé de 18 ans et travailler dans l'entreprise depuis un an sans interruption.

La campagne peut se dérouler jusqu'au jour de l'élection. Les listes électorales et celle des membres du personnel ayant le droit de vote, établies par l'employeur, doivent être publiées et déposées. Attention, l'employeur doit respecter une stricte neutralité : il ne peut faire pression en faveur ou contre une organisation, ni favoriser, même indirectement, les candidatures libres au risque de commettre un délit d'entrave.

L'élection a lieu au scrutin secret, sous enveloppe. Des bureaux de vote doivent être mis en place dans chaque collège, afin de contrôler le bon déroulement des opérations électorales et de veiller à la régularité du scrutin. Au premier tour, seules les organisations syndicales peuvent présenter des candidatures. Si la majorité du corps électoral ne participe pas à ce premier tour, un second tour est organisé (dans un délai de quinze jours), au cours duquel les candidatures non syndicales sont admises. Les sièges sont répartis à la proportionnelle (voir « Zoom » page 28).

Après le dépouillement, le bureau de vote dresse le procès-verbal des élections. Les contestations par rapport à la régularité du scrutin sont à déposer au tribunal d'instance ; celles qui concernent la répartition du personnel et des sièges par collège ou par établissement peuvent l'être au tribunal d'instance, auprès du ministre du Travail ou du juge administratif.

Le nombre de membres élus varie selon l'effectif

Effectif de l'entreprise ou de l'établissement	Nombre de délégués élus au CE
50 à 74 salariés	3 titulaires / 3 suppléants
75 à 99 salariés	4 titulaires / 4 suppléants
100 à 399 salariés	5 titulaires / 5 suppléants
400 à 749 salariés	6 titulaires / 6 suppléants
750 à 999 salariés	7 titulaires / 7 suppléants
1 000 à 1 999 salariés	8 titulaires / 8 suppléants
2 000 à 2 999 salariés	9 titulaires / 9 suppléants
3 000 à 3 900 salariés	10 titulaires / 10 suppléants
4 000 à 4 999 salariés	11 titulaires / 11 suppléants
5 000 à 7 499 salariés	12 titulaires / 12 suppléants
7 500 à 9 999 salariés	13 titulaires / 13 suppléants
A partir de 10 000 salariés	15 titulaires / 15 suppléants

Les CE et les autres institutions de représentation du personnel

L'action du comité d'entreprise s'articule avec celle d'autres institutions de représentation du personnel. Parmi elles, les délégués syndicaux : ils ont un rôle de négociation (négociation annuelle obligatoire sur les salaires, la durée du temps de travail, etc.) et de conclusion d'accords collectifs d'entreprise, tandis que le CE est porte-parole des salariés, sans assumer de rôle de négociation. Dans les entreprises de moins de 300 salariés, les délégués syndicaux sont également membres de droit du CE. Dans celles de plus de 300 salariés, chaque organisation représentative peut désigner des représentants syndicaux au sein du comité.

Le rôle des représentants syndicaux

Ces représentants syndicaux ont pour mission de représenter leur organisation auprès du comité, mais ils ne participent pas aux votes. Ils doivent être convoqués aux réunions du comité, recevoir l'ordre du jour dans les délais légaux et les mêmes documents d'information que les autres membres du CE. Leur crédit d'heures est soumis aux mêmes conditions que celui des élus. Ils bénéficient de la même formation et de la même protection légale contre les licenciements. Mais ils ne peuvent participer à la commission économique, ni à la délégation au conseil d'administration ou de surveillance.

Les délégués du personnel

Autre institution de représentation du personnel : les délégués du personnel (DP). Garants du droit du travail dans l'entreprise, ils doivent vérifier que l'ensemble des textes, code du travail, conventions et accords collectifs ou contrats de travail, sont bien respectés. Ils sont les correspondants de l'inspection du travail. Ils doivent également défendre les salariés (en cas de convocation pour une sanction par exemple) et présenter leurs réclamations individuelles et collectives au chef d'entreprise, sous forme de questions écrites au plus tard 48 heures avant la réunion mensuelle obligatoire avec celui-ci. L'employeur doit ensuite leur apporter une réponse écrite.

Quand l'effectif de l'entreprise ou de l'établissement atteint au moins onze salariés, l'employeur doit prendre l'initiative d'organiser des élections des délégués du personnel, dont le nombre dépend de l'effectif de l'entreprise. Elus par les salariés, les candidats ne peuvent être présentés au premier tour que par les organisations syndicales. Si le quorum des votants n'est pas atteint ou si tous les sièges n'ont pas été pourvus, un second tour a lieu où les candidatures libres sont admises.

La délégation unique du personnel

Les rôles de délégué du personnel et d'élus du comité sont bien distincts. Cependant, dans les entreprises de moins de 200 salariés, le chef d'entreprise peut décider, après consultation des représentants du personnel, que les DP constituent la délégation du personnel au comité d'entreprise. On parle alors de délégation unique du personnel (DUP). Ses membres cumulent à la fois les fonctions d'élus au CE et de DP. Les attributions et les moyens propres aux deux institutions subsistent, mais le crédit de 20 heures sert à l'exercice de la double fonction.

Les CE et les CHSCT

Le comité d'hygiène, de sécurité et des conditions de travail (CHSCT) est une autre institution représentative du personnel. Etabli dans les établissements occupant au moins 50 salariés, sa mission est de veiller à la protection de la santé et de la sécurité des salariés ainsi qu'à l'amélioration de leurs conditions de travail. Les questions relatives à la charge de travail, à la pénibilité des tâches, à l'éclairage, au bruit, etc., le concernent. Le CHSCT étudie notamment l'incidence sur les conditions de travail de tout changement d'organisation, comme par exemple de nouvelles normes de productivité ou l'introduction de nouvelles technologies.

ZOOM Délégation unique : une double casquette

Marie Ardelot, secrétaire du comité d'entreprise de Suravenir assurances, filiale de 180 salariés du Crédit mutuel, fait partie d'une délégation unique du personnel de 16 élus. Ainsi, elle est également déléguée du personnel. Dans le cadre de cette fonction, les élus relaient les questions des salariés à la direction de l'entreprise ; dans le cadre du CE, ils gèrent les activités sociales et culturelles et ont créé, bien que ce ne soit pas obligatoire dans une entreprise de moins de 200 salariés, trois commissions : formation, économie et restauration.

Une réunion mensuelle se tient avec la direction, qui commence chaque fois, raconte Marie Ardelot, « *par la délégation du personnel posant une à six questions* », la réunion étant au préalable préparée avec les salariés dont les interrogations sont ici relayées. Puis les mêmes élus passent à la réunion plénière du CE, cette dernière étant souvent préparée entre eux, en dehors de la présence du directeur.

Sur le plan de formation continue de l'entreprise, la réunion de la délégation du personnel a ainsi permis de poser des questions comme : « *Pourquoi telle formation est proposée à deux salariés et pas à d'autres ?* » La seconde, relative au comité d'entreprise, était centrée sur un document : le plan de formation de l'année, que la direction a transmis pour information au CE et qui prévoit par exemple des formations clientèle, alors que peu de salariés ont des clients en ligne. Les élus en ont donc profité pour interroger la direction sur l'évolution de l'activité de leur entreprise : « *Est-ce que les activités d'accueil de la clientèle vont se développer ?* » Comme le rappelle Marie Ardelot, « *c'est toujours la direction qui prend la décision finale* ». Aussi, pour être également « *une véritable force de proposition en réunion de CE* », les élus tentent de « *poser des questions bien orientées afin de faire pression de cette manière sur la politique de la direction* ».

Les liens entre le CHSCT et le CE sont étroits. Les membres de la délégation du personnel du CHSCT sont désignés par un collège composé des élus du CE et des délégués du personnel. Et dans les entreprises de plus de 500 salariés, le CE détermine le nombre de CHSCT envisagés dans l'entreprise.
Gérard Brégier, ingénieur sécurité conseil du cabinet d'expertise Technologia et auteur du *Guide du CHSCT* [1], résume ainsi la différence entre CE et CHSCT : « *Pour le comité d'entreprise, il s'agit de permettre aux salariés d'être informés, consultés, de contrôler la politique générale de l'entreprise et de faire des propositions pour que leurs intérêts soient pris en compte. Pour le CHSCT, il s'agit de permettre aux salariés d'intervenir sur la sécurité et leurs conditions de travail au sein de l'entreprise.* »

Encore un effort

Une différence qui implique aussi une collaboration, notamment lors de l'introduction de nouvelles technologies ou d'un aménagement projeté par l'employeur. Le comité d'entreprise doit être informé et consulté sur les problèmes généraux concernant les conditions de travail résultant notamment de l'organisation du travail et de la technologie. A cette fin, selon l'article L 432-3 du code du travail, « *il bénéficie du concours du CHSCT dans les matières relevant de la compétence de ce comité dont les avis lui sont transmis* ». Il peut même lui demander de procéder à des études relevant de sa compétence, par exemple sur les accidents du travail. Mais il revient normalement au CHSCT d'être consulté avant le CE sur ces questions. Le CE est également entendu en liaison avec le CHSCT sur les mesures prises afin de faciliter la mise, la remise ou le maintien au travail des accidentés du travail ou de personnes handicapées.
Institutions plus récentes que les CE, les CHSCT fonctionnent encore rarement comme la loi le prévoit, note Gérard Brégier. Même si la tendance est à l'amélioration. Une amélioration qui passe par une meilleure connaissance de cette institution, par les comités d'entreprise notamment, qui encore trop souvent ne les consultent pas. D'autant que le CHSCT a beaucoup de moyens, notamment de pression, à hauteur de l'importance des sujets dont il a la charge, qui sont ni plus ni moins des enjeux de vie et de mort. Comme le scandale de l'amiante l'a révélé.

[1] Ed. d'Ergonomie, 2003.

La protection des élus

Les membres du comité d'entreprise, comme les représentants du personnel et les délégués syndicaux, bénéficient d'une protection particulière contre les licenciements. En effet, les membres titulaires et suppléants du CE et les représentants syndicaux ne peuvent être licenciés sans l'autorisation de l'inspection du travail. Cette procédure s'applique également pendant six mois aux anciens élus des dernières élections, aux anciens représentants syndicaux s'ils ont exercé leur mandat pendant au moins deux ans, aux candidats non élus aux dernières élections, ainsi qu'au premier salarié qui a demandé l'organisation des élections ou qui a accepté de les organiser si son initiative est confirmée par un syndicat (la protection, d'une durée de six mois, s'applique alors à compter de cette confirmation).

La composition du CE

La constitution d'un bureau au sein d'un comité d'entreprise est facultative. Seules deux fonctions doivent être obligatoirement pourvues : celle de président et celle de secrétaire.

Le chef d'entreprise, obligatoirement président

Le président du CE est de droit l'employeur (chef d'entreprise ou chef d'établissement) ou son représentant. C'est un membre désigné et non élu. Il fixe avec le secrétaire la date des réunions et leur ordre du jour. Il convoque les délégués, puis anime et dirige les débats, prend part aux votes comme les autres membres, sauf lorsqu'il les consulte en tant que délégation du personnel, en matière d'activités sociales et culturelles par exemple. En cas de direction conjointe, une seule personne peut représenter le chef d'entreprise lors des réunions du comité. L'employeur peut cependant être assisté de collaborateurs pour répondre à des questions techniques. Ceux-ci gardent un rôle purement consultatif.

ZOOM Fonction : secrétaire

La fonction de secrétaire du CE représente un mi-temps pour Corinne Cadoret, du Crédit mutuel Loire-Atlantique. Dans cette entreprise de 2 000 salariés, le comité d'entreprise, qui compte au total 12 membres titulaires et 12 suppléants, a beaucoup de moyens, ce qui le rend bien atypique. Corinne Cadoret est secondée par un secrétaire adjoint, mais aussi, parce que le rôle économique du CE lui prend beaucoup de temps, par trois salariés détachés de l'entreprise qui gèrent les activités sociales et culturelles, appliquant les propositions faites par une commission loisirs et votées au préalable par le CE. La réunion du comité d'entreprise prend en général une journée entière. Avant sa tenue mensuelle, la secrétaire doit « *assurer son rôle d'animation* », explique Corinne Cadoret, et collecter les questions afin de rédiger l'ordre du jour avec le représentant de la direction. Puis elle doit rédiger le compte-rendu et l'envoyer aux 40 personnes qui sont normalement présentes.

Marie Ardelot, secrétaire du CE de Suravenir assurances, filiale de 180 salariés du Crédit mutuel, bénéficie de moins de moyens. Chaque élu a droit à 20 heures de délégation, dont ils reversent cinq heures, suite à un accord d'entreprise, au suppléant. Selon elle, le secrétaire a un « *rôle de médiation* » qui se matérialise par la rédaction de l'ordre du jour, un moment où il tente de créer et de faciliter le dialogue. De même, le compte-rendu de réunion doit être signé par la direction et par le secrétaire, ce qui exige de travailler à un consensus. Rôle un peu politique qui se cumule avec un rôle plus administratif.

Entre l'organisation des différentes réunions préparatoires, les tâches administratives, les activités sociales et culturelles, le tri des entreprises qui veulent présenter des produits aux salariés et les permanences à la bibliothèque ou au CE, autant dire qu'il est difficile de « *jongler au quotidien entre les activités professionnelles et le CE* ».

Un pilier, le secrétaire

Le secrétaire est élu à la majorité des voix (avec la participation du chef d'entreprise) lors de la première réunion du CE. Il est choisi obligatoirement parmi ses membres titulaires. Il occupe une fonction clé au sein du comité puisqu'il lui revient d'arrêter l'ordre du jour des réunions du comité avec le chef d'entreprise ; il établit, signe et diffuse également le procès-verbal de ces réunions. Il peut d'ailleurs, en cas de litige, refuser de le signer. Il communique en outre aux membres du CE les informations émanant de l'employeur. Il assure aussi l'administration des affaires courantes et est l'interlocuteur privilégié des contacts extérieurs.
Dans un comité d'entreprise important, un secrétaire adjoint peut seconder et remplacer le secrétaire en cas d'absence. La révocation du secrétaire est possible, dans des cas bien précis, s'il fait l'objet d'une motion de défiance.

Le trésorier, facultatif

La fonction de trésorier n'est pas obligatoire, mais elle est généralement pourvue lors d'une élection afin de gérer le budget du comité d'entreprise. Le trésorier peut régler les factures, tenir les comptes, établir des budgets, etc.
Enfin, l'inspection du travail et la médecine du travail sont destinataires des comptes rendus de séance. Certains procès-verbaux doivent même obligatoirement être transmis à l'inspecteur du travail : celui des élections, l'avis du CE sur le licenciement d'un représentant du personnel, etc.

Le fonctionnement du CE

Suite aux élections, l'employeur est chargé d'organiser la première réunion et de fixer son ordre du jour. Certaines questions doivent être traitées rapidement : constitution (éventuelle) du bureau, désignation du secrétaire (obligatoire), définition des moyens du CE... Cette première réunion doit aussi servir à faire une présentation de l'entreprise aux membres du comité, en leur remettant obligatoirement des documents sur la forme juridique de la société, la répartition du capital, éventuellement la position de l'entreprise au sein du groupe.

Surtout des réunions

La périodicité des réunions du comité d'entreprise ou du comité d'établissement dépend de l'effectif : au moins tous les deux mois dans les structures de moins de 150 salariés et une fois par mois au-delà. L'ordre du jour est arrêté par le président et le secrétaire. Les résolutions sont prises à la majorité des membres élus présents à la réunion qui doit à chaque fois donner lieu à un procès-verbal, discuté, éventuellement amendé et approuvé au cours de la séance suivante. En outre, le CE doit être informé de la situation économique de l'entreprise, notamment par le biais de tableaux trimestriels et semestriels et de documents (rapport annuel sur l'activité et la situation financière, sur l'évolution de l'emploi, des qualifications et de la formation, document comptable, bilan social dans les entreprises de plus de 300 salariés). Ces documents sont remis avant la réunion du CE pour permettre aux élus de les étudier (voir page 66).
Outre les réunions ordinaires, il peut y avoir des réunions extraordinaires, à l'initiative de l'employeur ou à la demande de la majorité des élus titulaires. D'autres réunions ayant un statut spécifique peuvent également se tenir : pour examiner les documents reçus de l'employeur en dehors de sa présence ou prendre connaissance des conclusions des membres des commissions. La consultation étant l'une des attributions essentielles du comité d'entreprise, les réunions prévues à cet effet sont également encadrées par la loi. Sur de nombreux sujets, les consultations doivent être annuelles : aménagement du temps de travail, congés payés, égalité professionnelle, évolution des emplois et des qualifications, formation professionnelle, bilan social, etc. Sur d'autres sujets, elles sont ponctuelles et obéissent à des règles propres : règlement intérieur, nouvelles technologies, projets de licenciements économiques (voir les fiches consacrées à ces sujets dans le chapitre III).

Le règlement intérieur

Le comité d'entreprise n'est pas tenu d'avoir un règlement intérieur, mais une fois adopté, celui-ci est obligatoire. Il peut prévoir des clauses relatives à la composition et aux attributions du bureau, aux commissions, aux réunions, aux procès-verbaux, au financement...

Les moyens du CE

Le comité d'entreprise tire l'essentiel de ses ressources des subventions versées par l'employeur. Il faut distinguer le budget de fonctionnement du comité d'entreprise de celui des activités sociales et culturelles. Les recettes affectées à l'un et à l'autre ne peuvent en aucun cas communiquer. Ainsi, un CE ne peut financer un expert avec les ressources destinées aux activités sociales et culturelles, ni un voyage sur son budget de fonctionnement.

Le budget de fonctionnement

La subvention de fonctionnement doit être obligatoirement versée au comité d'entreprise. Son montant de 0,2 % de la masse salariale brute de l'entreprise est également imposé par le code du travail, la masse salariale brute étant l'ensemble des rémunérations versées aux salariés de l'entreprise avant toute déduction de cotisations. La subvention est calculée par rapport à l'année en cours et est en fait estimée sur l'année précédente et réajustée en fin d'année. Elle devrait être versée en une fois au début de l'année. C'est rarement le cas, car l'employeur est autorisé à échelonner les versements tant que le comité n'est pas empêché dans son fonctionnement. Cette subvention couvre notamment les frais courants, les dépenses de personnel administratif recruté par le CE pour son fonctionnement et la formation économique des titulaires.

Lorsque l'employeur contribue en nature aux dépenses de fonctionnement du CE, les sommes équivalentes à cette contribution sont déduites de la subvention. C'est le cas par exemple lorsqu'une secrétaire de l'entreprise saisit les procès-verbaux des réunions du comité.

Le financement des activités sociales et culturelles

Le comité est seul décideur de l'affectation du budget des activités sociales et culturelles, qui sont l'objet d'un monopole de gestion (voir page 79). Par conséquent, l'employeur, président du CE, ne peut participer au vote d'une résolution concernant cette gestion.

Aucun taux n'est imposé par le code du travail, mais les sommes attribuées au CE ne peuvent être inférieures au montant le plus élevé des dépenses

Quand il y a plusieurs établissements

Chaque comité d'établissement, comme chaque comité d'entreprise, doit recevoir directement de l'employeur une subvention de fonctionnement égale à 0,2 % de la masse salariale brute de l'établissement. Aucun texte ne prévoyant un tel versement de l'employeur au comité central d'entreprise (CCE), composé de représentants des comités d'établissement, une partie de la subvention du comité d'établissement peut lui être rétrocédée après un accord entre les deux instances. De même, il n'est pas prévu de local pour le comité central et ses membres utilisent les crédits d'heures dont ils bénéficient en tant qu'élus au comité d'établissement. Seuls les frais de réunion et de déplacement d'une réunion du CCE convoquée par son président sont à la charge de l'entreprise.

sociales réalisées par l'entreprise au cours des trois années précédant la prise en charge de ces activités par le CE. Une fois fixé, ce budget ne peut être révisé à la baisse. Comme la subvention de fonctionnement, le calcul de celle consacrée aux activités sociales et culturelles se base sur la masse salariale brute.

Ressources complémentaires

L'employeur met à la disposition du CE un local aménagé et le matériel nécessaire à son fonctionnement (téléphone, mobilier, photocopie), le local doit comprendre au moins une armoire fermant à clé. Il ne peut décompter la fourniture de ce local et du matériel de bureau, ni les frais de convocation et de déplacement du budget de fonctionnement du CE ; en revanche, les frais de fourniture et de téléphone restent à la charge du CE et sont imputés sur ce budget. Enfin, le CE doit disposer de panneaux d'affichage spécifiques.

Les subventions de l'employeur constituent la part la plus importante des ressources du CE, mais elles peuvent être complétées par les collectivités locales ou les syndicats. Le comité peut également fixer une cotisation ou facturer ses services et recevoir des dons et des legs. Il peut par ailleurs tirer des revenus des biens et des immeubles dont il dispose.

Heures de délégation

Enfin, chaque élu titulaire dispose d'un crédit de 20 heures par mois. Si la formation économique est financée par la subvention de fonctionnement, les heures de formation sont considérées comme des heures de travail et donc rémunérées comme telles.

Embaucher un salarié

Le comité d'entreprise peut être employeur et donc recruter le personnel nécessaire à son fonctionnement : secrétariat administratif, activités sociales et culturelles, etc. Il peut conclure des CDI, des CDD ou des contrats aidés, et dans ce dernier cas, recevoir des aides. Le CE ne bénéficie pas d'exonération de charges spécifique et est soumis à toutes les obligations relatives au statut d'employeur. Il est ainsi tenu d'appliquer toutes les dispositions du code du travail, les règles régissant la Sécurité sociale ou les régimes d'assurance chômage et de retraite complémentaire.

Concrètement, le CE désigne au cours d'un vote la personne chargée de le représenter auprès des organismes sociaux et de procéder à l'embauche. Ce rôle est en général attribué au secrétaire. Ce dernier procède donc à toutes les formalités relatives à cette embauche : déclaration préalable d'embauche ou déclaration unique, immatriculation du CE en tant qu'employeur, adhésion à un service médical interentreprises, tenue des registres (du personnel, paye...), etc. A priori, la convention collective qui régit les salariés de l'entreprise n'est pas obligatoirement applicable au personnel du CE, mais ils y sont le plus souvent soumis.

Quant au budget sur lequel doivent être imputés les frais de personnel, tout dépend des tâches attribuées au salarié. Le CE doit procéder à un récapitulatif du temps consacré au fonctionnement et à l'organisation des activités sociales et culturelles. L'employeur peut également mettre à disposition du comité un ou plusieurs de ses salariés. Le CE n'a alors pas à prendre en charge les formalités qui incombent à tout employeur et rembourse à l'entreprise les salaires en imputant ces sommes aux budgets correspondant aux tâches effectuées.

Le CE et l'assurance

Aucune obligation légale de souscrire une assurance ne pèse sur le comité d'entreprise, mais sa responsabilité s'exerce lors des différentes activités qu'il organise : activités sportives, voyages, sorties... Il peut donc subir les conséquences financières d'un sinistre.

Responsabilité civile

Le comité d'entreprise est doté d'une personnalité civile (ainsi que le comité d'établissement, le comité central d'entreprise et le comité interentreprises). Cela signifie qu'il peut avoir une adresse, agir en justice, passer des contrats et embaucher du personnel, posséder des biens mobiliers et immobiliers pour son activité, accepter des dons et des legs et ouvrir un compte en banque. De ce fait, il a aussi une responsabilité civile : il doit honorer ses contrats et s'il cause un dommage à quelqu'un, il peut être poursuivi. De même, un membre du CE qui commet une faute dans l'exercice de ses fonctions n'est pas personnellement responsable : c'est son comité d'entreprise qui l'est. Sauf s'il agit à l'encontre d'une délibération du comité.
L'assurance responsabilité civile le protège des « dommages à autrui », s'il commet de tels dommages, il doit en effet indemniser les victimes. La souscription d'une assurance peut être financée par l'employeur (article R 432-11 du code du travail), sans que cela soit imputé sur le budget de fonctionnement. Certains employeurs proposent une annexe à l'assurance de l'entreprise, solution qui présente l'intérêt d'être simple, mais il est alors nécessaire de vérifier que l'extension des garanties proposées est adaptée aux activités du comité.
Le comité d'entreprise peut également souscrire une assurance contre les dommages corporels (même si les personnes qui participent aux activités du comité sont censées être elles-mêmes assurées) ou contre les dommages matériels.

La fiscalité des comités d'entreprise

Les allocations de caractère social versées par le CE aux salariés (pour le logement, les vacances, les fêtes...) n'ont pas le caractère de salaires et sont exonérées d'impôt sur le revenu. Les secours et les contributions aux chèques vacances sont exonérés dans la limite du Smic mensuel par salarié et par an. Le CE n'étant pas une société commerciale, ses recettes ne sont pas soumises à la TVA, sauf quand il organise plus de six manifestations artistiques ou festives par an avec buvettes payantes, ou quand il achète et revend lui-même des marchandises. Il ne paie l'impôt sur les sociétés que lorsqu'il possède un patrimoine immobilier sur lequel il perçoit des loyers ou un patrimoine financier sous forme de Sicav, portefeuille d'actions ou d'obligations.

La formation des élus

De nombreux organismes proposent des formations spécifiques en direction des élus des comités d'entreprise. L'une d'entre elles, dite économique, a même été rendue obligatoire en 1982 pour les membres titulaires : elle a pour objet la fonction de l'élu, le code du travail, la comptabilité de l'entreprise, etc. Ils ont ainsi le droit tous les quatre ans de mandat de suivre cette formation fixée à cinq jours.
Ces formations économiques doivent être dispensées par un organisme agréé : les centres rattachés aux organisations syndicales ainsi que, entre autres, des organismes dont la liste est arrêtée par le préfet de région.

Une obligation, mais peu de moyens

Les cinq jours de formation économique peuvent être fractionnés en deux sessions (en principe une de trois jours, une de deux). Ils sont considérés comme du temps de travail pour les titulaires, et donc payés comme tels. L'employeur doit être prévenu trente jours avant.
Le coût de la formation (frais pédagogiques, déplacements...) est imputé sur le budget de fonctionnement du CE. *« Le législateur a créé une obligation, mais n'a pas mis les moyens en face pour y subvenir. C'est notamment dur pour les suppléants, dont la formation n'est même pas prévue par le législateur »*, explique Marie-Agnès Erdozain, responsable de la formation des élus CE à l'Irefe, centre francilien agréé par la CFDT. Certes, il existe en parallèle un congé de formation économique, sociale et syndicale (CFESS), qui donne droit à 12 jours pour tous les salariés, mais dont la prise en charge est très faible : une enveloppe de 0,08 ‰ de la masse salariale brute lui est consacrée. Lorsqu'elle est dépassée, le CE peut assumer financièrement le temps passé en formation. L'employeur peut aussi l'intégrer à son plan de formation (ce qui est rare) et ainsi prendre en charge les salaires et les frais.

Les élus se forment de plus en plus

Au-delà de la formation économique, les structures de formation en proposent de plus spécifiques, sur le rôle du secrétaire du CE, le logement, la prise de parole en public, etc. C'est sur les heures de délégation pour les titulaires, sur leur temps libre ou encore en fonction d'un accord avec l'employeur qu'elles seront suivies.
« Le niveau des élus s'est élevé depuis une dizaine d'années, estime Fabrice Signoretto, directeur de Forma CE. *Cela a mis du temps à rentrer dans la pratique. »* Mais leur demande reste basique, selon Hervé Allard, directeur de Cefore. *« Ils ont des besoins, mais beaucoup n'en sont pas encore conscients »*, estime Martine Fresneau, gérante et fondatrice d'Acteur juridique.
Les stages sont dispensés par des organismes proches des syndicats, c'est le cas de l'Irefe ou d'Emergences (CGT), ou par des organismes indépen-

dants spécialisés. Tous sont ouverts aux non-syndiqués. Beaucoup d'entre eux proposent des abonnements conseil et assistance. Certains inter-CE du réseau Cezam (voir page 46), comme l'Ircos ou l'Acener, proposent aussi des formations, mais en tant qu'associations elles s'adressent en principe à leurs adhérents.

« Inter » ou « intra »

En pratique, ces formations peuvent regrouper des élus de différents CE, il s'agit de stages dits interentreprises ou « inter » qui leur permettent d'échanger avec d'autres. Il peut aussi y avoir, sur demande, des formations spécifiques à des élus d'un CE, nommées « intra ». Notamment lors-

ZOOM Se former pour bien tenir son rôle

En 2004, la Direction de la construction navale (DCN) est passée d'un statut d'entreprise publique à celui de société anonyme (même si les capitaux sont encore pour le moment détenus à 100 % par l'Etat). De ce fait, des comités d'établissement ont été créés. Cela a été notamment le cas à DCN Propulsion, site situé près de Nantes. Les membres du tout nouveau comité d'établissement ont alors fait appel à l'inter-CE Acener. « *Nous avions certes une longue expérience syndicale, mais aucune des comités d'entreprise du secteur privé. Auparavant, on avait une commission d'information économique et sociale réunie deux fois par an pour aborder les plans de charge, mais elle n'avait pas cette fonction d'expertise des CE. Nous voulions donc connaître nos nouvelles attributions et avoir une idée des erreurs à éviter* », explique Yannick Briand, secrétaire CFDT du CE. Une formation en « intra » sur deux jours a été organisée : « *C'était moins cher et certains ne se seraient pas déplacés pour une formation à l'extérieur* », poursuit-il. Neuf élus y ont participé sur les seize [titulaires et suppléants], ainsi que quatre délégués syndicaux. De son côté, Samia Antar, maintenant secrétaire FO du CE du Centre de dialyse, entreprise comptant 130 salariés sur les Bouches-du-Rhône qui appartient au groupe suédois Gambro, a suivi sa première formation avec Acces Consulting en 2002. Son entreprise venait de décider de passer du statut de société anonyme à celui de société par actions simplifiées. « *Un changement que nous avons accepté parce que nous n'en avions pas pris toute la mesure. Nous ne savions pas, par exemple, que les élus de CE n'avaient plus le droit de siéger au conseil d'administration. C'est la formation qui m'a ouvert les yeux* », se souvient Samia Antar. A son retour, elle a pu « *mieux expliquer aux autres membres du comité la situation* » et demandé à la direction qu'à l'avenir, elle leur remette « *l'ensemble des documents expliquant ce qu'implique ce type de transformation avant qu'elle ait lieu* ».

Depuis, elle incite aussi les nouveaux élus à se former, au titre de la formation économique. « *Nous avons un petit budget de fonctionnement de 8 500 euros : nous sommes six titulaires, nous ne pouvons pas tous être formés en même temps. Nous y allons donc à deux au maximum par an* », explique-t-elle. Et elle se forme de son côté chaque année, toujours en « inter » et avec Acces Consulting : « *Le droit évolue tellement vite !* » Pour plus d'efficacité, elle choisit des ateliers pour connaître ou éclaircir des points particuliers auxquels elle est confrontée. En partie grâce à ces stages, elle estime que le CE est devenu un interlocuteur légitime aux yeux de la direction, qui l'informe et motive ses décisions.

qu'une équipe comprend de nombreux nouveaux élus, « *cela permet de créer une dynamique de groupe, de donner une cohésion* », explique Marie-Agnès Erdozain.

A savoir : les tarifications ne sont pas les mêmes en interentreprises ou en intra-entreprise, les premières sont facturées par personnes présentes, les secondes par jour de formation. La majorité des organismes propose les deux formules, et si leurs formateurs se déplacent partout en France pour les formations en « intra », ils ont une couverture géographique plus ou moins vaste pour les formations interentreprises, très importante pour La Clé et Forma CE, membre du groupe Alpha, ou plus restreinte, comme pour Cefore en Rhône-Alpes. Enfin, selon les organismes, les formations sont plutôt dispensées par des juristes, des experts-comptables, des acteurs de terrain... A vous de poser les bonnes questions pour avoir l'offre la mieux adaptée à vos besoins et à votre budget.

Contacts

Voici une liste non exhaustive d'organismes proposant une formation de base aux élus de comités d'entreprise, mais aussi des formations spécifiques. Pour les inter-CE du réseau Cezam qui proposent des formations, passer par le site www.cezam.fr, rubrique « Les relais Cezam ».

- **Acces Consulting** : 3 rue de l'Humilité, 69003 Lyon, tél. : 04 78 14 54 27, site : www.acces.fr, courriel : reynald.de.mari@acces.fr
- **Acteur juridique** : 81 rue du Général-Leclerc, 95410 Groslay, tél. : 01 34 28 67 87, site : www.acteur-juridique.com, courriel : info@acteur-juridique.com
- **Alinéa** : 5 rue Francis-de-Préssensé, 93218 La Plaine Saint-Denis Cedex, tél. : 01 48 13 17 72, site : www.lesdroitsduce.com, courriel : alinea@lesdroitsduce.com
- **Cefore** : 7 av. Paul-Cocat, BP 2654, 38036 Grenoble Cedex 2, tél. : 04 76 14 09 09, site : www.cefore.com, courriel : cefore@cefore.com
- **Défis CE** : ZAC Fray Redon, 83136 Rocbaron, tél. : 04 94 72 87 72, site : www.defis-ce.com, courriel : christophe.dorine@tiscali.fr
- **Elégia formation** : 80 av. de la Marne, 92546 Montrouge Cedex, tél. : 01 40 92 37 37, site : www.elegia.fr, courriel : elegia@elegia.fr
- **Emergences** : Le Méliès, 261 rue de Paris, 93556 Montreuil Cedex, tél. : 01 55 82 17 40, site : www.emergences.fr, courriel : formation@emergences.fr
- **Forma CE** : 50 rue Edouard Pailleron, 75927 Paris Cedex 19, tél. : 01 55 56 62 10, site : www.forma-ce.fr
- **Irefe** : 78 rue de Crimée, 75019 Paris, tél. : 01 42 03 05 05, site : www.irefe.com, courriel : secteur.formation@irefe.com
- **La Clé** : ZA Europarc, Le Hameau, Bât. E, 123 chemin des Bassins, 94035 Créteil Cedex, tél. : 01 56 71 22 00, site : www.la-cle.fr, courriel : info-creteil@la-cle.fr
- **Lamy Formation** : 1 rue Eugène-et-Armand-Peugeot, 92856 Rueil-Malmaison Cedex, tél. : 0 825 08 08 00, site : www.lamy.fr/modules/divers/pres_forma_2006.html
- **Liaisons sociales** : 1 rue Eugène-et-Armand-Peugeot, 92856 Rueil-Malmaison Cedex, tél. : 01 41 29 95 35, site : www.liaisons-sociales.com
- **Le Frene Formation** : 28 rue de Trévise, 75009 Paris, tél. : 01 53 24 62 80, site : www.lefrene.com, courriel : lefrene.ce@wanadoo.fr

Les commissions spécialisées

Pour l'aider à préparer ses travaux et ses délibérations, le comité d'entreprise peut mettre en place des commissions spécialisées, portant sur différents thèmes liés à la gestion des œuvres sociales ou à son rôle d'information et de consultation : formation, logement, conditions de travail, prévoyance, solidarité, activités sportives, camps de vacances, etc. Toutes font part de leurs travaux au comité qui ensuite donne son avis motivé. Commissions facultatives, elles peuvent pour certaines, à partir d'un certain nombre de salariés, devenir obligatoires, c'est-à-dire que l'employeur ne peut s'opposer à leur mise en place.

Quatre commissions obligatoires

Quatre commissions peuvent devenir obligatoires. Il s'agit de :

– La commission de la formation professionnelle, dans les entreprises d'au moins 200 salariés. Elle est chargée de préparer les délibérations du comité qui étudie la politique de formation envisagée par l'employeur et participe à l'information des salariés sur ce sujet. Elle suit également les problèmes relatifs à l'emploi des jeunes et des handicapés.

– La commission de l'égalité professionnelle (voir Zoom ci-dessous), dans les entreprises d'au moins 200 salariés. Elle étudie le rapport que l'em-

ZOOM Egalité professionnelle : le rôle d'une commission

Entre les temps partiels majoritairement réservés aux femmes, les inégalités de salaires dans des corps de métiers répondant aux mêmes grilles, ou celles dans la promotion interne du personnel d'encadrement, nous avons pu constater que l'écart entre les hommes et les femmes reste important au sein de l'Etablissement français du sang (EFS) », explique Patricia Prostak, membre de la commission égalité professionnelle du comité central d'établissement de l'EFS, établissement public qui rassemble 8 000 salariés au niveau national, 1 400 en Ile-de-France.

Instaurée dans le cadre de la loi Génisson en 2001, la commission de l'égalité professionnelle étudie notamment le rapport dit de situation comparée des conditions d'emploi et de formation des femmes et des hommes dans l'entreprise, rapport que l'employeur doit remettre chaque année au CE. Cette obligation date de 1983, mais un décret d'application de la loi Génisson de 2001 l'a complété en précisant les indicateurs à fournir. « *Lors de la première année de fonctionnement de la commission, en 2003, l'employeur ne nous avait pas remis un rapport de situation comparée complet, nous invitant à trouver les informations manquantes dans d'autres documents, comme le bilan social* », se souvient Patricia Prostak. Les membres de la commission devaient donc « *chercher les informations un peu partout* ». Par ailleurs, « *sans formation, nous partions un peu dans tous les sens* ».

Les organisations syndicales, comme la CGT et la CFDT, et de nombreux organismes de formation proposent des stages sur ce sujet. « *Nous avons suivi une formation à l'Institut régional de formation, d'études et d'expertise (Irefe)* [organisme de formation proche de la CFDT]

ployeur doit remettre chaque année au comité sur la situation comparée des conditions d'emploi et de formation des femmes et des hommes dans l'entreprise.
– La commission d'information et d'aide au logement, dans les entreprises d'au moins 300 salariés. Son rôle principal est de faciliter l'accession des salariés à la propriété et à la location de logement, en lien notamment avec les organismes collectant la participation des employeurs à l'effort de construction (le 1 % logement), d'informer les salariés sur les conditions dans lesquelles ils peuvent y accéder et les assister dans les démarches nécessaires à l'obtention des aides financières auxquelles ils peuvent prétendre.
– La commission économique, dans les entreprises d'au moins 1 000 salariés. Elle a pour mission d'étudier les documents économiques et financiers adressés par l'employeur au CE et de préparer les séances plénières du comité d'entreprise consacrées aux consultations d'ordre économique.
Lorsqu'il existe un comité central d'entreprise, c'est à ce niveau que la commission économique sera mise en place. Pour les trois autres, elles peuvent être présentes à la fois au niveau central et au niveau de chaque établissement.

Un fonctionnement plus ou moins encadré

A l'exception de la commission économique, dont tous les membres doivent être choisis parmi les titulaires ou les suppléants du CE, des salariés non élus

---

entre 2003 et 2004, explique Patricia Prostak, *qui nous a aidés à recadrer notre travail. Nous nous sommes concentrés cette année-là en grande partie sur les salaires. Depuis, nos questions sont plus précises et les rapports remis par l'employeur bien plus complets.* »
Une fois la consultation effectuée, la négociation d'un éventuel accord revient aux délégués syndicaux. Et les choses peuvent avancer, même si c'est lent : « *A l'EFS, la négociation d'un projet social avec un volet égalité professionnelle est en cours, la direction a souhaité que ce soit sur l'égalité au sens large (hommes-femmes, diversité, géographie...). Et depuis que nous avons entamé ce travail, on voit que la direction est beaucoup plus vigilante, notamment sur les augmentations de salaires* », note Patricia Prostak. Ce travail a d'ailleurs mis en lumière d'autres inégalités dans l'entreprise : celles entre les EFS régionaux en particulier.
Or, malgré son caractère obligatoire, tous les CE des sociétés de plus de 200 salariés ne sont pas dotés de cette commission. « *Il y a encore des réticences chez les élus, la direction, voire les organisations syndicales* », commente Jean-Pierre Renné, délégué syndical CFDT chez Cetelem. Une situation qui s'explique par le travail de fond qui doit être fait, notamment en matière d'organisation, ne serait-ce que pour prévoir plus tôt dans la journée les réunions. Face à cela, « *les syndicats doivent être vigilants et les comités d'entreprise ont un grand rôle à jouer, puisqu'ils travaillent sur les chiffres, les comptes. Des données qui donnent un état des lieux précis des inégalités* », rappelle Pascale Coton, vice-présidente confédérale, en charge notamment des questions sociétales à la CFTC.

peuvent aussi participer aux travaux de ces instances, ce qui dans la pratique se fait peu. Le nombre de membres n'est pas fixé par la loi, hormis (encore une fois) pour la commission économique qui en compte au maximum 5 et pour celle d'information et d'aide au logement (de 300 à 500 salariés, 3 membres ; de 501 à 1 000, 4 membres ; de 1 001 à 2000, 5 membres ; et 6 au-delà). En revanche, pour toutes ces commissions, qu'elles soient facultatives ou obligatoires, la présidence doit être assurée par un membre du CE, titulaire ou suppléant, impérativement titulaire dans le cas de la commission économique.

Les heures de délégation

Quant à la rémunération du temps passé en commission, 40 heures de délégation sont à répartir entre tous les membres de la commission économique, et 20 heures sont prévues par personne et par an pour celle du logement. Pour les deux autres commissions obligatoires, le temps passé en réunion est considéré comme du temps de travail, sans être limité, même si le législateur n'a rien prévu pour celle relative à l'égalité professionnelle (*« Un oubli*, estime Virginie Demoucron, juriste à la Fédération commerce, service, force de vente de la CFTC, *mais tant qu'il n'y a pas d'abus, les employeurs restent souples sur le temps accordé »*).

Pour les commissions facultatives, si les élus peuvent imputer les heures de réunion sur leur crédit d'heures personnel, le temps passé en réunion par les suppléants et les salariés non élus n'est pas considéré comme du temps de travail. Ils travaillent alors sur leur temps libre, à moins que l'employeur, en fonction d'accords et d'usages, accepte de les rémunérer ou autorise leur absence (sans toutefois en avoir l'obligation) ou que le comité d'entreprise leur octroie une indemnisation (alors imputée sur son budget de fonctionnement).

Sans personnalité juridique, les commissions *« permettent d'impliquer plus de personnes dans la vie du CE qui dispose, lorsqu'elles sont obligatoires, de moyens supplémentaires pour mener à bien ses missions »*, explique Alain Blanchard, responsable du service formation de l'Acener, inter-CE nantais membre du réseau Cezam. Pourtant, certains ne s'en dotent pas, ou quand ils s'en dotent, elles ne fonctionnent pas bien. Le manque de temps, de connaissances et de moyens est pour beaucoup dans cette situation. Pour autant, elles sont nombreuses à bien fonctionner. Le rôle de leur président est important : en fonction du dynamisme de celui-ci, elles seront très actives ou peu mobilisées. Et pour qu'elles soient efficaces, il faut aussi que l'employeur mette à leur disposition toutes les informations dont elles ont besoin.

Les salons des CE

Pour choisir leurs prestataires, beaucoup d'élus de comités d'entreprise ont recours aux salons spécialisés. Deux organisateurs gèrent la plupart d'entre eux : Salons CE, qui rassemble des exposants nationaux et régionaux dans 22 préfectures de région, et France CE, qui installe ses stands dans 11 grandes villes, destinés davantage aux PME et avec plus de prestataires locaux. D'autres organisateurs proposent des salons thématiques, comme Top Montagne, salon des sports d'hiver présenté notamment à Marseille chaque année début novembre. Outre des exposants commerciaux, les élus peuvent y rencontrer des inspecteurs et des médecins du travail, des agents de l'Urssaf et des organisations syndicales.
Un stand premier prix chez Salons CE coûte 1 250 euros en province et 2 400 euros à Paris. France CE facture ses emplacements à partir de 680 euros. Quant à l'entrée, elle est gratuite pour tous les visiteurs, mais dans la plupart des cas, une inscription est requise.

Des salons sur Internet

Par ailleurs, les salons sur Internet se développent. Annuaire-CE.com et France CE référencent gratuitement les fournisseurs (tout en faisant payer la mise en valeur des enseignes, par affichage du logo, lien direct avec le site ou publi-reportage).
Les salons se tiennent chaque année à dates fixes, sauf en cas d'événement exceptionnel dans la ville d'accueil ou de vacances scolaires. Ainsi, Salons CE monte ses stands en mars à Clermont-Ferrand, Metz, Reims, Strasbourg, Nantes, Marseille, Lille, Dijon et Rennes ; en avril à Tours et Caen ; puis en septembre à Nancy, Montpellier, Amiens, Nantes, Lyon, Lille, Bordeaux, Strasbourg et Paris ; enfin, en octobre, à Orléans, Toulouse, Rouen, Grenoble, Marseille et Rennes.
De son côté, les salons de France CE ont lieu en janvier à Aix-en-Provence ; en février à Saint-Brieuc ; en mars à Antibes, Angers et Brest ; en avril à Belfort et Saint-Etienne ; et en septembre à Annecy, Le Havre, Lorient et Pau.

Contacts

Les sites des principaux organisateurs de salons

- **Annuaire-CE.com :** www.annuaire-ce.com
- **Mister CE.com :** www.misterce.com
- **Officiel CE :** www.officielce.com
- **Le guide des CE :** www.leguidedesce.com
- **Salons CE :** www.salonsce.com
- **France CE :** www.forum-sud.com
- **Comitédentreprise.com :** www.comite-dentreprise.com

Les associations inter-CE

Au début des années 80, des structures sous statut associatif se sont développées, regroupant des comités d'entreprise, des organismes similaires ou des amicales de salariés : les associations inter-comités d'entreprise ou « inter-CE ». *« L'idée principale est de mutualiser les moyens, d'organiser la solidarité entre grandes et petites structures, avec une dimension d'éducation populaire et de lutte contre les inégalités »*, explique René Reinauer, un des deux directeurs et cofondateur de l'Ircos, inter-CE alsacien du réseau Cezam.

Deux grands réseaux

Il existe en effet deux grands réseaux : Cezam, proche à ses origines de la CFDT, qui compte 30 associations implantées dans 15 régions et couvrant quelque 6 000 collectifs pour plus de 1 million de personnes concernées, et l'Association nationale de coordination des activités de vacances – Tourisme et travail (Ancav-TT), pôle du tourisme social lié à la CGT, qui coordonne une trentaine de structures locales couvrant environ 65 départements. Près de 2 000 collectifs y adhérent, selon Jamaldine Oudni, secrétaire national de l'Ancav-TT. Il existe aussi quelques associations indépendantes, à l'instar d'Apace Loisirs, à Lille.
Ouverts à tous les CE, quelle que soit leur appartenance syndicale, les inter-CE peuvent aussi accueillir des salariés d'entreprises non dotées de comité, soit sous forme collective, après constitution d'une amicale par exemple, soit sous forme individuelle. Une problématique importante au sein de ce réseau qui réfléchit aussi à s'ouvrir à de nouvelles catégories de population. L'Ircos vient ainsi de créer une association, Tulipe Alsace, pour les entreprises de moins de dix salariés, les retraités et les demandeurs d'emploi. Dans le réseau de l'Ancav-TT, les individuels et les chômeurs peuvent adhérer.

Culture, loisirs et vacances pour tous

A noter que Cezam n'est pas une fédération, mais une union d'économie sociale [1] qui commercialise les offres culturelles de la carte Cezam des inter-CE adhérents. De son côté, l'Ancav-TT a principalement une fonction de coordination. Car chaque association a sa propre autonomie, ses spécificités et son histoire. Mais elles ont des missions communes : faciliter l'accès à la culture, aux loisirs et au tourisme, en premier lieu au travers de cartes. Carte loisirs pour les associations de l'Ancav-TT, carte Cezam pour le réseau éponyme, elles permettent d'obtenir des réductions.
Mais les inter-CE vont au-delà des activités proposées par les circuits commerciaux classiques. Chaque association travaille avec des structures locales culturelles, de loisirs, etc., offrant ainsi des tarifs préférentiels ou des activités spécifiques (spectacles de fin d'année, abonnements, visites guidées) qu'elles peuvent construire avec leurs CE adhérents. *« Il nous est arrivé de faire venir un orchestre symphonique dans un atelier de métallurgie »*, men-

[1] L'union d'économie sociale est un statut juridique créé en 1983 pour permettre aux associations, coopératives et mutuelles de monter des projets communs.

tionne René Reinauer. Trans-Tourisme Isère (TTI), membre de l'Ancav-TT, organise pour sa part avec des CE de la région grenobloise un festival de cinéma sur trois jours : Ecran total. L'Acener, membre de Cezam, est à l'origine de Tissé Métisse, soirée au cours de laquelle sont programmés une quinzaine de spectacles à la Cité des congrès de Nantes. *« Nous l'avons lancée en 1993, au moment des lois Pasqua et de la montée de la xénophobie »*, précise son directeur, Jean-Bernard Desmonts.
Les inter-CE se mobilisent aussi sur les questions de solidarité. L'Ancav-TT a ainsi un partenariat avec le Secours populaire. Et si *« nous n'avons pas mélangé l'activité économique, qui relève des syndicats, et les activités sociales et culturelles »*, explique Jamaldine Oudni, de l'Ancav-TT, ce n'est pas le cas des associations du réseau Cezam, qui sont nombreuses à proposer des formations, de l'assistance, du conseil... L'Acener offre par exemple de la mise à disponibilité de personnel : comptable, secrétaire, etc. *« Nous nous concevons comme un centre de ressources. Un CE a besoin d'un comptable très peu de jours dans l'année »*, remarque Jean-Bernard Desmonts.

Adhésion

Quant à l'adhésion, chaque association a ses règles. Cela peut être un prix par salarié ou un tarif forfaitaire en fonction ou non du nombre de salariés, auquel peut s'ajouter une cotisation par personne ; d'autres demandent un pourcentage du budget du CE. Ainsi, pour adhérer à l'Ircos, il faut compter 232 euros forfaitaires quelle que soit la taille de l'entreprise, plus 2,68 euros par salarié. Au Credes, association du réseau Cezam de la région Poitou-Charentes, il en coûte au maximum 8,20 euros par salarié, avec une dégressivité en fonction de l'effectif. Cela comprend la plupart du temps l'accès aux cartes de réduction ; pour les autres services, ils sont souvent facturés en plus. Chez TTI, il s'agit d'une adhésion forfaitaire du CE par tranche d'effectif. Chaque salarié a le choix entre deux formules, qui font varier le tarif de son adhésion individuelle (qui peut être aussi pour une famille ou un couple).

Contacts

- **Les deux grands réseaux**

Les coordonnées des associations qu'ils regroupent sont disponibles sur leur site.

Ancav-TT : 263 rue de Paris, case 560, 93515 Montreuil Cedex, tél. : 01 48 18 81 79, site : www.ancavtt.asso.fr, **courriel :** info@ancavtt.asso.fr

UES Cezam : 3 rue de Metz, 75010 Paris, tél. : 01 42 46 13 00, site : www.cezam.fr, **courriel :** cezam@cezam.fr

- **Des associations non membres de ces deux réseaux**

Apace Loisirs : 111 bd Victor-Hugo, 59000 Lille, tél. : 03 20 52 68 30, site : www.apaceloisirs.com, **courriel :** info@apaceloisirs.com

Centre de culture populaire (CCP) : 16 rue Jacques-Jollinier, 44600 Saint-Nazaire, tél. : 02 40 53 50 04, site : www.ccp.asso.fr, **courriel :** contact@ccp.asso.fr

Le recours aux experts

Les comités d'entreprise ont le droit de recourir à l'assistance d'un expert extérieur rémunéré par l'entreprise. C'est un élément essentiel pour rendre effectif leur droit à peser sur les orientations de l'entreprise. Ce recours à l'expertise s'est surtout développé à partir des années 70 et 80, date des premières grandes restructurations et des lois Auroux (1982). C'est d'ailleurs à cette époque que se créent ou se développent les deux grands cabinets spécialisés : Syndex, en 1971, et Secafi-Alpha, en 1983. Aujourd'hui, selon le Conseil supérieur de l'ordre des experts-comptables, environ 20 % des comités d'entreprise font appel à des experts.

Les cas d'intervention

Le code du travail prévoit que le CE peut faire financer par l'entreprise l'intervention d'un expert dans huit cas : l'analyse des comptes annuels de l'entreprise et du groupe ; l'analyse des comptes prévisionnels de l'entreprise ; en cas de licenciements de plus de dix personnes ; dans le cadre du droit d'alerte (voir page 54) ; en cas de restructuration juridique ; en cas d'introduction d'une nouvelle technologie dans les entreprises de plus de 300 salariés ; dans le cadre des accords de participation et d'intéressement ; et, enfin, pour assister les commissions économiques des CE dans les entreprises de plus de 1 000 salariés.

La première mission des experts est l'analyse annuelle des comptes. Elle représente environ deux tiers des interventions des cabinets spécialisés. L'analyse se fait sur la base des documents transmis au commissaire aux comptes. Son objectif est d'apprécier la situation économique, financière et sociale de l'entreprise et d'alerter le CE sur des risques éventuels notamment pour l'emploi. Elle n'est en aucun cas de certifier les comptes, mais de les expliquer aux représentants des salariés et de mettre en perspective la situation de l'entreprise dans son contexte. L'analyse des comptes permet par exemple de détecter un taux d'investissement inférieur à la moyenne de son secteur d'activité, qui peut révéler la volonté de l'entreprise de se désengager d'un marché. Les comptes étant (généralement) clos au 31 décembre, la mission a lieu entre février et avril de l'année suivante après la certification par le commissaire aux comptes. Le rapport de l'expert

Pour les comités d'entreprise européens

L'assistance d'un expert économique est également un droit pour les comités d'entreprise européens (voir aussi page 133). Contrairement au droit français, la directive européenne ne prévoit pas explicitement les cas où le comité d'entreprise européen (CEE) peut y avoir recours. Les modalités sont définies par l'accord d'entreprise qui crée le CEE. Le droit à l'expertise n'étant pas reconnu dans les autres pays de l'Union (hormis en Belgique et en Allemagne), il est encore peu utilisé. Mais la situation évolue, sous l'effet du travail de sensibilisation mené notamment par la Confédération européenne des syndicats.

est susceptible de nourrir l'intervention du représentant du CE lors de l'assemblée générale de l'entreprise.
Le recours à l'expert peut également se faire dans des cas plus spécifiques, qui représentent environ un tiers des missions des cabinets spécialisés. Dans les entreprises de plus de 300 salariés ou de plus de 18 millions d'euros de chiffre d'affaires annuel, la direction est tenue, en plus des comptes annuels, de présenter des comptes prévisionnels deux fois par an. Une analyse de ces comptes permet d'anticiper des évolutions qui ne sont pas apparues dans les comptes de l'année précédente. La première intervention de l'expert a lieu quatre mois après la clôture de l'exercice (soit en avril), et la seconde deux mois avant la clôture (soit en novembre).
A côté de ces missions rémunérées intégralement par l'entreprise, le CE peut également, sur son propre budget de fonctionnement, solliciter des experts-comptables ou des avocats. Dans la majorité des cas, le recours aux avocats est complémentaire de l'intervention des cabinets d'experts. Tous les avocats spécialisés en droit du travail sont susceptibles d'intervenir auprès des CE, mais, comme pour les experts-comptables, il est préférable de s'adresser à des cabinets dont c'est une activité régulière. Leurs interventions peuvent porter, par exemple, sur la fusion de deux sociétés et sur ses conséquences en termes de contrats de travail, d'accords d'entreprise ou même

ZOOM Comment choisir son expert ou son avocat ?

Pour analyser les comptes, il faut obligatoirement faire appel à un expert-comptable. Certains sont spécialisés dans le conseil aux CE. C'est le cas notamment des deux plus grands du secteur : Secafi-Alpha et Syndex. Leur histoire est liée aux organisations syndicales (la CGT pour le premier, la CFDT pour le second), qui ont contribué à leur développement afin de rendre effectif le droit à l'assistance sans être dépendants des cabinets classiques d'expertise comptable jugés trop proches des directions d'entreprise. Aujourd'hui, ces deux cabinets occupent environ 50 % du marché. Le reste est assuré soit par des cabinets plus petits spécialisés auprès des comités d'entreprise, soit par des cabinets d'expertise comptable traditionnels qui ont développé une activité CE.
Le choix de l'expert doit faire l'objet d'un accord entre les élus du comité d'entreprise. Le coût intégral de la mission est pris en charge par l'entreprise. Selon les types de mission et les cabinets, le prix de journée varie entre 800 euros et 1 300 euros HT. Il faut compter autour de 10 jours pour une mission d'analyse des comptes dans une PME (40 jours dans un grand groupe) et 30 à 50 jours pour une mission « licenciements ».
Le recours à l'avocat se fait toujours aux frais du CE. Les honoraires varient en fonction de la masse salariale, et donc du budget de fonctionnement du comité, entre 800 euros et 1 500 euros HT la journée ou entre 140 euros et 250 euros HT de l'heure pour une consultation très courte. La CFDT notamment a mis en place un réseau d'avocats spécialisés dans les relations au travail, qui interviennent uniquement en défense des intérêts des salariés (CE, prud'hommes...). Baptisé Avec, et créé en 1995, il compte une centaine d'avocats. La CGT travaille également avec une centaine d'avocats qui sont directement en contact avec les unions départementales et les fédérations professionnelles.

de statuts, lorsqu'il s'agit de la privatisation d'une entreprise publique ou au contraire de l'intégration d'une clinique privée dans un hôpital public.
En matière de procédure de licenciement collectif ou de restructuration, le rôle de l'avocat peut être essentiel. Les procédures des plans sociaux sont en effet extrêmement formalisées. Pour ne pas faire d'erreur ou pour débusquer celles de la partie adverse, son assistance est indispensable. Bien que les directions soient conseillées, il leur arrive de passer outre une obligation de consultation, de ne pas respecter un délai, ce qui peut suffire à l'annulation des licenciements pour irrégularité. La guérilla juridique a cependant ses limites si, une fois le plan social cassé par les tribunaux, l'entreprise est contrainte d'en refaire un nouveau en raison de la mauvaise conjoncture économique. C'est pourquoi allier la capacité d'anticipation de l'expertise économique au pouvoir de contestation juridique reste la meilleure stratégie pour les comités d'entreprise... qui en ont les moyens.

Contacts

Voici une liste non exhaustive des experts spécialisés dans le conseil aux CE. Pour avoir les adresses d'autres cabinets d'expertise comptable, solliciter le Conseil supérieur de l'ordre des experts-comptables.

- **Les experts-comptables**

Conseil supérieur de l'ordre des experts-comptables : 153 rue de Courcelles, 75017 Paris, tél. : 01 44 15 60 00, site : www.experts-comptables.fr, courriel : csoec@cs.experts-comptables.org

Secafi Alpha : 20 rue Martin-Bernard, 75013 Paris, tél. : 01 53 62 70 00, site : www.groupe-alpha.com

Syndex : 27 rue des Petites-Ecuries, 75010 Paris, tél. : 01 44 79 13 00, site : www.syndex.fr

Sextant expertise : 24 rue Mogador, 75009 Paris, tél. : 01 40 26 47 38.

Legrand fiduciaire : 153 bd Haussmann, 75008 Paris, tél. : 01 40 70 95 62, site : www.legrand-fiduciaire.com, courriel : info@legrand-fiduciaire.com

- **Les avocats**

CFDT service juridique : 4 bd de la Villette, 75019 Paris, tél. : 01 42 03 80 00, site : www.cfdt.fr

CGT service juridique et droits et liberté : 263 rue de Paris, 93100 Montreuil-sous-Bois, tél. : 01 48 18 80 00, site : www.cgt.fr

- **Pour les CE et les CHSCT**

Célidé : 43bis rue d'Hautpoul, 75019 Paris, tél. : 01 40 18 78 80, site : www.celide.asso.fr, courriel : contact@celide.asso.fr

Fiches rédigées par Pascal Canfin, Charlotte Chartan, Perrine Créquy, Laure Meunier et Naïri Nahapétian

L'information et la consultation des CE

Le rôle du comité d'entreprise ne se limite pas à l'organisation de loisirs et de spectacles. Il peut être un moyen, certes limité mais néanmoins utile, de contrôler la gestion de l'entreprise. Instruments disponibles et exemples de terrain.

Le rôle économique du CE

Dans le domaine économique, le comité d'entreprise a un rôle d'information et de consultation. Il peut rendre des avis et émettre des vœux que la direction n'est pas obligée de suivre, mais qui peuvent ouvrir la voie à des négociations.

Dès leur création en 1945, les comités d'entreprise ont été dotés de prérogatives économiques, des droits qui ont été renforcés à partir des lois Auroux en 1982 (voir page 8). Pour autant, le rôle du CE en ce domaine reste limité à un rôle d'information et de consultation [1]. L'article L 432-1 du code du travail prévoit en effet que « *le comité d'entreprise est obligatoirement informé et consulté sur les questions intéressant l'organisation, la gestion et la marche générale de l'entreprise, et notamment sur les mesures de nature à affecter le volume ou la structure des effectifs, la durée du travail, les conditions d'emploi, de travail et de formation professionnelle du personnel* ».

Dans ces domaines de compétence, le chef d'entreprise est donc tenu de consulter le comité avant de prendre toute décision importante, afin que celui-ci puisse rendre des avis et des vœux. Le CE doit recevoir des informations précises et écrites avant d'être consulté, et disposer d'un délai suffisant pour rendre son avis, ce délai étant précisément fixé pour la formation continue, le licenciement collectif pour motif économique et l'introduction de nouvelles technologies. Ces avis ne s'imposent pas à l'employeur, qui doit cependant rendre compte de manière motivée de la suite qu'il leur donne, soit au cours de la séance, soit lors d'une prochaine réunion. Par ailleurs, le CE dispose d'un droit d'initiative et de proposition et la direction doit également rendre compte, en la motivant, de la suite donnée aux propositions du comité.

Saisir la justice en cas d'entrave

L'obligation de consultation est remplie même si le CE a refusé de formuler un avis, sauf en cas d'insuffisance d'information. Dans ce cas, le comité doit se déclarer dans l'impossibilité d'être consulté en précisant les informations manquantes ou les questions restées sans réponse.

Le CE dispose par ailleurs d'un droit à l'information, qui oblige l'employeur à lui fournir des informations précises et écrites relatives à la vie de l'entreprise. La consultation se distingue de la simple information par le fait qu'elle doit donner lieu à un véritable échange de points de vue. Pour cela, le CE peut bénéficier de l'aide d'experts, pour l'examen annuel des comptes notamment (voir page 48).

Si le chef d'entreprise ne suit pas la procédure, le CE peut saisir la justice. L'employeur peut en effet être condamné au pénal pour délit d'entrave et au civil à des dommages et intérêts pour le préjudice subi, ainsi qu'à une nullité ou à une suspension de procédure.

[1] Pour le rôle économique des comités d'établissement et de groupe, voir pages 26-27.

Le CE peut aussi, dans le cadre de ses prérogatives économiques, avoir recours au droit d'alerte (voir encadré ci-dessous), afin d'agir en amont quand les élus, au vu des informations dont ils disposent, sentent peser un risque sur l'emploi. Le droit d'alerte permet de demander à l'employeur des explications sur des faits « *préoccupants* » qui pourraient avoir des conséquences sur la situation économique de l'entreprise. Par ailleurs, la représentation du CE au conseil d'administration ou au conseil de surveillance est obligatoire dans les sociétés anonymes administrées par de telles instances, dans les sociétés par actions simplifiées et dans les SARL qui en ont créé.

Sauf pour ce qui concerne la mise en place d'un accord de participation ou d'intéressement, le comité d'entreprise n'est pas en droit une instance de négociation, cette fonction reste la prérogative des syndicats. Il a surtout un rôle de veille. On est donc loin de la cogestion. Mais le CE peut transmettre ainsi des informations essentielles aux instances de négociation dans l'entreprise, d'autant qu'on est souvent en situation de cumul de mandats. Par ailleurs, en cas de restructuration, il dispose désormais des moyens d'accompagner les changements, car il peut faire des propositions. Notamment dans le cadre d'accords de méthode (voir encadré page 60). Sur le terrain, l'usage de l'ensemble des instruments dont dispose le CE pour contrôler la gestion de l'entreprise et tenter de l'infléchir varie selon les rapports de force syndicaux dans l'entreprise, mais aussi selon la connaissance que les élus ont de ces outils. Ce chapitre peut les aider à améliorer cette connaissance. ■

Naïri Nahapétian

Le droit d'alerte en pratique

Le droit d'alerte peut être déclenché par le CE, mais aussi par les délégués du personnel s'il n'y a pas de comité. Pour cela, le CE doit avoir connaissance de faits réels pouvant affecter la situation économique de l'entreprise et constituer notamment une menace pour l'emploi. Il est seul juge de la gravité des faits en question. Selon la jurisprudence, cela va des projets de modification de la structure sociale ou de cession d'actions à une baisse importante de commandes, en passant par la suppression d'un service.

La procédure d'alerte comporte trois phases. Pour l'entamer, le CE doit demander à l'employeur, par écrit et sous forme d'une liste de questions précises, de lui fournir des explications sur les faits qu'il porte à sa connaissance. Si une majorité d'élus estiment que ces questions relèvent du droit d'alerte, ni le président ni le secrétaire de CE ne peuvent s'opposer à ce qu'elles figurent à l'ordre du jour de la prochaine réunion du comité. Si les réponses de l'employeur sont satisfaisantes, le CE peut mettre fin au droit d'alerte.

Sinon, il entame la deuxième phase, qui consiste à établir un rapport sur la situation de l'entreprise, en se faisant assister éventuellement par un expert. Il peut aussi se faire aider par deux salariés de l'entreprise, qui bénéficieront chacun de cinq heures de délégation, et convoquer le commissaire au compte pour lui demander des explications. Le comité doit se réunir pour valider les conclusions de ce rapport.

Dans la troisième phase, le secrétaire du CE peut transmettre le rapport, accompagné des observations et des vœux du comité, aux organes dirigeants de l'entreprise, conseil d'administration ou conseil de surveillance, et aux associés.

La modification de la structure juridique de l'entreprise

Fusion, cession, prise de participation, offre publique d'achat (OPA), filialisation, etc., tout changement dans l'organisation juridique de l'entreprise impose une information-consultation du CE. Un droit essentiel, car ces restructurations peuvent être lourdes de conséquences sociales : suppressions de postes, dégradation des conditions de travail, voire arrêt de l'activité à moyen terme en cas de cession.

Une procédure préalable obligatoire

Le comité d'entreprise doit être consulté avant une prise de participation dans une autre entreprise, une cession ou une acquisition, une scission, une fusion, une location-gérance ou la fermeture de l'entreprise (pour une explication de tous ces termes, voir encadré ci-dessous), ainsi que lors de la privatisation d'une entreprise publique. La procédure doit avoir lieu dès que le projet d'opération est définitif, mais avant toute prise de décision. La direction doit transmettre aux élus une note contenant des informations écrites et précises sur le projet (documents comptables, administratifs, sociaux, ainsi que les motifs et modalités de réalisation) et ses conséquences sur les salariés, notamment sur l'emploi. Le comité doit disposer pour les étudier d'un délai négocié avec l'employeur.
La loi prévoit des exceptions pour trois types d'opération. Ainsi, en cas de prise de participation d'une autre société dans l'entreprise, la direction doit simplement en informer le CE, sans organiser de discussion.

Les différentes formes de restructuration juridique

- **Cession :** vente de l'entreprise.
- **Filialisation :** découpage d'une entreprise en entités ayant le statut de filiales.
- **Filiale :** société détenue à plus de 50 % par une société mère.
- **Fusion :** opération par laquelle une ou plusieurs sociétés se réunissent pour n'en former plus qu'une. Elle peut résulter de la création d'une société nouvelle ou de l'absorption d'une société par une autre.
- **Fusion-absorption :** opération de fusion ou d'acquisition à l'issue de laquelle une seule société conserve une personnalité juridique, l'autre société étant juridiquement dissoute après l'opération.
- **Location-gérance :** contrat qui permet au propriétaire d'une entreprise de céder à un locataire-gérant le droit de l'exploiter librement à ses risques et périls moyennant le paiement d'une redevance.
- **Offre publique d'achat (OPA) :** consiste à proposer l'achat d'actions à un cours supérieur à celui de la Bourse dans le but de s'assurer la prise de contrôle de la société visée.
- **Offre publique d'échange (OPE) :** consiste à proposer l'échange de titres de deux sociétés données, ce qui équivaut à des participations croisées.
- **Prise de participation :** acquisition par une entreprise de parts ou d'actions dans une autre société. L'OPA et l'OPE sont des prises de participation.
- **Scission :** vente d'une branche d'activité à une autre société ou filialisation d'une activité.

Deuxième exception, lors d'une concentration importante nécessitant la notification du ministre de l'Economie [1] ou de la Commission européenne [2], une réunion spéciale du CE s'ajoute à la consultation préalable. Elle doit avoir lieu dans les trois jours suivant la notification des autorités. Cette réunion a posteriori permet de recourir à un expert (dans ce cas, une deuxième séance a lieu pour entendre ses travaux), de connaître la teneur de la réponse des autorités et les éventuelles modifications du projet depuis la consultation du CE, qui peut dater de plusieurs mois. Le comité peut aussi demander à être entendu par le Conseil de la concurrence.

Enfin, la loi du 18 janvier 2005 a réduit les droits du CE en cas d'offre publique d'achat ou d'échange (OPA ou OPE), sous prétexte d'éviter les délits d'initiés. Désormais, l'entreprise qui souhaite lancer une telle offre n'est plus tenue de consulter préalablement le comité. Celui-ci doit simplement être réuni dans les deux jours ouvrables suivant la publication de l'offre pour que lui soient transmises les informations sur l'opération et ses conséquences sociales.

Dans le sens inverse, lorsque l'entreprise est visée par une OPA ou OPE, l'employeur doit consulter le CE dès qu'il a connaissance de l'opération. Lors d'une première réunion, le comité examine l'offre et peut se prononcer sur son caractère amical ou hostile. Il décide ou non d'entendre son auteur, qui doit lui adresser, dans les trois jours, la note d'information visée par l'Autorité des marchés financiers (AMF) qui traite des mesures en matière d'emploi. Dans les quinze jours suivant la publication de cette

[1] Ce qui se produit lorsque le chiffre d'affaires par entreprise concernée dépasse 150 millions d'euros et que le chiffre d'affaires réalisé en France par au moins deux entreprises est supérieur à 15 millions d'euros.

[2] Ce qui a lieu lorsque le chiffre d'affaires mondial de toutes les entreprises parties prenantes de la concentration est supérieur à 5 milliards d'euros et que le chiffre d'affaires réalisé dans l'Union par au moins deux entreprises est supérieur à 250 millions d'euros.

ZOOM Négocier à défaut de pouvoir bloquer

Après le rachat en août 2004 du groupe de gestion et de transactions immobilières Saggel par le promoteur Nexity, la direction du nouveau holding a annoncé vouloir fusionner leurs sociétés de gestion. Après un an de discussions sur un projet d'organisation provisoire, l'information-consultation a débuté en décembre 2005. Mais dès la fin 2004, les CE de Saggel et de Nexity avaient pris contact pour croiser leurs informations. « *La direction a traîné un peu les pieds,* raconte Alain Donat, élu au CE de l'ex-unité économique et sociale Saggel et délégué syndical CFDT. *Par exemple, nous avons dû demander à plusieurs reprises des organigrammes pour savoir à quel poste et sur quel site allaient se retrouver les salariés.* » Le CE sera de nouveau consulté avant la fusion juridique des deux sociétés en juin. Mais le rapprochement des activités et la réorganisation des services sont entamés. Certains salariés vont être transférés et deux sites abandonnés. Le projet n'a cependant pas entraîné de licenciements. « *Juste quelques départs négociés* », poursuit l'élu. Si certaines remarques faites par le CE ont été prises en compte, « *l'essentiel du projet de la direction a été maintenu* ».

En février 2006, les élus ont finalement émis un avis défavorable, qui reste consultatif. « *Le CE n'a guère de moyens pour empêcher une fusion. Il peut tenter de vérifier s'il n'y a pas une manœuvre maligne pour réduire les effectifs ou si cette décision n'entraîne pas une dégradation des conditions de travail. Mais c'est la direction qui prend l'initiative des projets, qu'elle a étudiés en amont en ayant presque toutes les cartes en main* », estime Alain Donat.

note, le CE doit à nouveau être réuni pour l'étudier et éventuellement recevoir l'auteur de l'offre. Le comité peut formuler des observations, avec l'aide d'un expert rémunéré par ses soins.

Les recours judiciaires

En cas de défaut d'information ou de consultation, le comité d'entreprise peut saisir le tribunal de grande instance (TGI). En 1999, le CE d'Alstom, estimant n'avoir pas été assez informé des conséquences d'une filialisation, avait saisi le juge en référé. *« La direction avait assuré qu'il n'y aurait aucune conséquence sur les salariés. Mais le TGI de Paris a exigé qu'elle transmette les différents scénarios possibles après la filialisation »*, rappelle Evelyn Bledniak, avocate spécialisée en droit du travail. Le juge peut aussi suspendre l'opération tant que le CE n'aura pas été correctement informé et consulté. En mars 2005, le TGI de Nîmes a ainsi suspendu la filialisation de l'usine Perrier (groupe Nestlé Waters France) de Vergèze, après avoir été saisi par le comité d'établissement.
Mais si l'opération a déjà été conclue, le CE n'a plus de recours. Des actes juridiques avec des tiers ont été signés et ne peuvent plus être annulés. *« C'est une limite extrêmement importante, d'où la nécessité pour le CE d'être très vigilant »*, prévient l'avocate. Seule possibilité, saisir le tribunal correctionnel pour délit d'entrave. *« Mais les sanctions sont très faibles,* déplore Evelyn Bledniak. *L'entreprise est généralement condamnée à entre 500 et 1 000 euros d'amende. »*

Elu CGT au CE de la Caisse d'épargne Ile-de-France-Paris, Daniel Daubin a appris le rapprochement de son groupe avec Natexis-Banque populaire en mars dernier. Pour lui, la consultation sert surtout à mobiliser le personnel : *« Même si l'expertise montre que le projet est négatif pour nous, la direction fait ce qu'elle veut. Pour le CE, c'est davantage un moyen de démontrer les conséquences du rapprochement, ce qui permettra peut-être de mener le combat avec les salariés. »*
Un constat de quasi-impuissance partagé par Eric Péry, secrétaire CFDT du CE du site Vittel-Contrex de Nestlé Waters France, qui a connu une filialisation en 2004. *« Heureusement que l'information-consultation existe,* reconnaît-il. *Cela permet d'anticiper ce qui va se passer. Mais une fois que vous avez fait traîner l'expertise, que vous avez fait traîner la consultation, que vous avez émis un avis défavorable, la direction a rempli les obligations légales et le projet se poursuit comme un rouleau compresseur. »*
En l'absence d'un droit de veto, que faire ? *« Le mieux est de chercher à accompagner le projet par la négociation pour qu'il y ait le moins de perte possible »*, affirme Alain Donat. L'avocate Evelyn Bledniak confirme : *« L'enjeu pour le CE est de trouver les points de faiblesse juridiques du dossier pour être en position de négocier. En cas de cession par exemple, il peut essayer de conserver les accords collectifs. »* L'avocate plaide aussi pour faire porter une responsabilité sociale sur l'entreprise qui cède un établissement : *« On peut tenter de négocier des mesures d'accompagnement au cas où il y aurait un plan social après la vente. »*

En cas de licenciements

Le comité d'entreprise doit être consulté quand la procédure de licenciement concerne un salarié protégé (délégués du personnel, délégué syndical, etc.) ou à l'occasion de licenciements économiques.
L'employeur doit soumettre au comité d'entreprise tout cas de licenciement d'un salarié protégé. Il ne peut donc pas licencier le salarié tant que le CE n'a pas donné un avis qui précède la décision de l'inspecteur du travail. A défaut, le licenciement sera considéré comme nul. La consultation du comité d'entreprise, qui se fait par un vote à bulletin secret, intervient obligatoirement après l'entretien préalable du salarié protégé avec la direction et de son audition par le comité d'entreprise. En cas de licenciement du médecin du travail, le CE dispose d'un véritable droit d'opposition, car son avis conforme est nécessaire à la validation de cette décision.

Licenciement économique

Par ailleurs, l'employeur doit consulter le comité d'entreprise pour tout projet de licenciement pour motif économique. En cas de licenciement collectif de dix salariés et plus dans une période de trente jours, la loi

ZOOM Surveiller et proposer

Pour prévenir des licenciements, le comité d'entreprise doit jouer en amont son rôle de veille économique et examiner les comptes chaque année. Ce suivi a permis aux élus du comité d'ECCE, entreprise d'habillement pour hommes, de voir venir les problèmes économiques : « *Quand on a su que notre client Yves Saint Laurent, qui représentait 30 % de notre chiffre d'affaires, dénonçait le contrat de licence, on a su que c'était grave*, se souvient Monique Merceron, alors élue CFDT du CE. *La direction, de son côté, espérait faire valoir que le contrat ne pouvait être rompu. On a déclenché la procédure d'alerte en novembre 2000.* » La direction n'a pas réagi face à ces inquiétudes. Mais lorsque Kenzo a dénoncé à son tour un contrat, l'employeur s'est retrouvé dépassé. Il a proposé un plan qui projetait de fermer l'usine de production et de supprimer 500 emplois (sur un effectif de près de 900).
Les représentants du personnel étaient prêts : ils ont négocié un accord de méthode et joué sur les délais. Un audit a confirmé que le nombre de licenciements était surévalué et qu'il ne fallait pas fermer l'usine. Entre-temps, le délai supplémentaire a permis à la société de renégocier le contrat avec Kenzo. Les licenciements ont pu être limités à 140, avec des procédures de reclassement et des départs à la retraite.
Certes, la direction peut ne pas tenir compte des propositions du CE, comme cela a été le cas à Arcelor en 2003 : « *Nous avions proposé des alternatives à un projet de 270 suppressions d'emplois*, explique Philippe Verdeke, délégué syndical central CGT à Arcelor Atlantique-Lorraine. *Même s'il s'agissait de départs à la retraite et de mobilité interne, nous avons considéré que la proposition de la direction était dangereuse d'un point de vue économique. Nous avons défendu une autre approche, avec de nouveaux débouchés commerciaux. Mais la direction*

donne au CE une véritable capacité de contrôle. Comme le souligne Frédéric Bruggeman, expert auprès des CE pour le cabinet Syndex, *« c'est malheureusement l'occasion pour certains comités de se réveiller. Les élus n'engagent pas assez souvent de suivi économique. Cela permet pourtant de limiter les dégâts quand arrive le plan de licenciements bien ficelé de la direction. »*

Quel que soit le nombre de licenciements envisagés pour motif économique, l'employeur est tenu d'adresser au comité tous les renseignements qui peuvent lui être utiles (raisons économiques du projet, effectif détaillé de l'établissement, nombre de licenciements envisagés). Le licenciement collectif pour motif économique doit être précédé de deux ou trois réunions avec des délais précis : de 20 à 22 jours entre la première et la deuxième ; de 14, 21 ou 28 jours, selon le nombre de licenciements, entre la deuxième et la troisième.

Lors de la consultation, il doit apporter une réponse motivée aux observations des représentants du personnel. Si les élus estiment ne pas être suffisamment informés ou si l'employeur n'a pas consulté le comité, ce dernier peut saisir en référé le tribunal de grande instance. Celui-ci peut ordonner la suspension des opérations en cours tant que le CE n'aura pas été valablement informé et consulté.

---

a répondu qu'elle avait étudié toutes les solutions et qu'elle s'en tiendrait aux siennes. »

De l'avis des experts du cabinet Syndex, cette façon de passer en force n'est pas viable sur le long terme. Le cabinet a en effet mené une enquête concernant 108 restructurations qu'il a accompagnées en 2002 [1]. Dans les deux tiers des cas, le CE a proposé une ou plusieurs alternatives aux réductions d'effectifs prévues. Ces propositions ont conduit dans 60 % des cas (soit 40 % du total des restructurations considérées) à une inflexion du plan de départ et à une diminution des suppressions d'emplois (10 % de moins au total).

La société de transport frigorifique Chéreau, de son côté, a réussi à sauver 600 emplois. Pourtant, Chéreau, qui comptait alors 700 salariés, a déposé le bilan en février 2003 : *« Ça nous est tombé dessus comme un coup de massue*, raconte Christian Hatte, alors membre sans étiquette du CE. *On faisait jusque-là office de "comité des fêtes" : on n'avait pas de représentation syndicale et on ne suivait pas les comptes. »* Trois plans de reprise ont été proposés, prévoyant, pour deux d'entre eux, au moins 150 licenciements et des baisses de salaires. Suivant les conseils des experts, le CE a préparé ses arguments en faveur du troisième repreneur, une société allemande qui proposait de limiter les licenciements à 120. Grâce au soutien de la CFDT – les représentants du personnel avaient créé entre-temps une section syndicale – et d'élus locaux, le CE a pu orienter la décision du tribunal de commerce vers le repreneur souhaité. Le nombre de licenciements a été limité à 65, dont une vingtaine de départs en retraite ou préretraite. Les élus ont également participé au choix de la société chargée du reclassement et suivi pendant un an les personnes concernées.

[1] Enquête détaillée et analysée dans « Restructurations », Regards. Les cahiers de Syndex n° 2, 2003.

Cette possibilité peut être utile dans les cas de licenciements collectifs ou de fermetures d'établissement. En 1994, alors que Monique Merceron, aujourd'hui consultante au cabinet Syndex, était salariée chez ECCE, entreprise d'habillement pour hommes du Nord-Pas-de-Calais, l'employeur a procédé à neuf licenciements individuels sur un mois. « *Nous avons fait nos calculs*, se souvient l'ancienne élue CFDT du CE. *Et nous sommes allés devant le tribunal car il y avait défaut de procédure.* » Certes, cela n'a pas empêché les licenciements, mais leur requalification permet souvent d'améliorer les conditions de départ des salariés.

Le plan de sauvegarde de l'emploi

Enfin, dans le cas d'un licenciement de plus de neuf personnes sur trente jours, la loi prévoit : l'assistance d'un expert-comptable, un minimum de deux ou trois réunions du CE, un délai minimum entre les réunions du CE, variable en fonction du nombre de licenciements, la mise en place d'un plan de sauvegarde de l'emploi, qui vise à limiter les licenciements et à faciliter le reclassement.

Le comité d'entreprise est consulté à deux reprises : sur le projet de restructuration et de compression des effectifs (livre IV du code du travail) et sur le plan de sauvegarde de l'emploi (livre III). Si le comité estime que le plan de sauvegarde proposé est insuffisant ou non conforme à la loi, il peut saisir en référé le tribunal de grande instance pour essayer de repartir sur un nouveau plan.

Forme et contenu des accords de méthode

La loi Borloo dite de cohésion sociale de janvier 2005 entérine la possibilité de passer des accords afin de déroger aux différentes étapes et délais prévus par la loi pour la consultation des instances représentatives du personnel en cas de restructuration. En pratique, ces accords dits de méthode sont nés en 1999 et ont déjà été reconnus par la loi Fillon en 2003. Il s'agit à la fois de raccourcir le temps que prend une restructuration et de sécuriser juridiquement le processus en limitant les recours aux tribunaux. Un objectif recherché bien sûr par les directions des entreprises, mais aussi par les salariés qui ont besoin de savoir rapidement à quoi s'attendre.

De tels accords portent généralement sur les conditions dans lesquelles le comité d'entreprise est réuni et fait appel à un expert-comptable. Par exemple, en cas de plan social, il peut demander que l'expert soit rémunéré par l'employeur. L'accord de méthode peut aussi porter sur les conditions de présentation de propositions alternatives par le comité (auxquelles l'employeur devra répondre de façon motivée) et sur celles dans lesquelles le plan de sauvegarde de l'emploi fera lui-même l'objet d'un accord. Les accords de méthode peuvent être conclus au niveau de l'entreprise, du groupe ou de la branche. Ils doivent être signés par une ou plusieurs organisations syndicales représentatives ayant recueilli la majorité des suffrages exprimés lors du 1er tour des élections aux CE. Toutefois, une circulaire du 30 décembre 2005 précise qu'en l'absence de délégué syndical, un accord de méthode peut être conclu entre la direction et le CE si un accord de branche le prévoit. Ces accords peuvent être d'une durée déterminée ou indéterminée.

Les horaires et le temps de travail

Le code du travail le dit clairement dans son article L 432-1, le comité d'entreprise est obligatoirement informé et consulté sur la durée du travail. Ce principe général est confirmé dans un article suivant (L 432-3) : *« Le comité d'entreprise est informé et consulté sur les problèmes généraux concernant les conditions de travail résultant de* [...] *l'organisation du temps de travail. »*
La consultation est donc obligatoire dans de nombreux cas, notamment pour les accords sur l'aménagement et la réduction du temps de travail, le chômage partiel, le dépassement de la durée maximale du travail, les heures supplémentaires, le repos compensateur et les horaires individualisés. A quoi s'ajoutent, à défaut d'accord avec les organisations syndicales, le travail à temps partiel, les astreintes, les congés annuels et le travail de nuit.
La question des horaires et du temps de travail est pourtant rarement traitée en tant que telle par les comités d'entreprise. D'une part parce qu'elle est transversale : elle touche aussi bien aux congés qu'à la formation, à l'égalité professionnelle qu'aux 35 heures. D'autre part parce que, sur ce sujet, les comités d'entreprise se considèrent souvent comme des chambres d'enregistrement des accords signés entre les organisations syndicales et la direction. Pourtant, le CE a un rôle essentiel à jouer dans ce domaine car il dispose de possibilités d'actions complémentaires à celles des syndicats.

La demande d'information

Le comité d'entreprise a une place privilégiée pour exiger certaines informations de la direction, notamment sur les horaires ou les congés des salariés, s'il les juge nécessaires pour formuler son avis. Les élus CGT d'Arcelor l'ont bien compris. N'ayant pas signé l'accord sur l'aménagement du temps de travail, ils ne sont pas conviés aux commissions de suivi de mise en place de cet accord. En revanche, comme *« la direction est tenue d'informer les élus sur ce sujet, nous conservons un droit de regard par le biais des réunions du CE »*, explique Philippe Verbeke, représentant syndical CGT au comité d'établissement du site de Mardyck.
Par ailleurs, le comité d'entreprise peut se faire assister par un expert, notamment pour étudier les conséquences d'une décision pouvant affecter le temps de travail. A Renault, la direction considère, suivant la loi, que le lundi de Pentecôte n'est plus un jour férié. Mais il est compté comme un jour de RTT dans l'entreprise et demeure non travaillé. Le CE, consulté sur la question, a émis un avis défavorable. Mais surtout, il se fait assister par des experts juridiques *« pour savoir si on peut le conserver*

comme jour férié », explique Pascal Bahnweg, élu CFDT de Renault Guyancourt. Si les juristes répondent positivement, les organisations syndicales pourront agir en conséquence.

Avis et droit de veto

Comme dans les autres domaines, l'avis rendu par le comité d'entreprise lors d'une consultation sur les horaires et le temps de travail n'a pas valeur de veto. Cela ne signifie pas pour autant qu'il est inutile. *« Selon les textes, le CE doit être consulté préalablement au projet de la direction,* explique Christian Sciboz, responsable des formations à Forma CE. *L'absence d'avis du CE – par manque d'informations, par exemple – peut donc retarder la mise en place du projet. Aux élus de jouer de cette possibilité ! »* Dans les faits, peu nombreux sont les comités qui utilisent ce droit. Il pourrait pourtant se révéler utile lorsque les élus désapprouvent un projet de la direction qui concerne les horaires et n'a pas fait l'objet d'un accord.

Le code du travail prévoit par ailleurs quelques cas où le comité d'entreprise est tenu de rendre un avis conforme, c'est-à-dire dont la direction doit tenir compte. Il s'agit par exemple de la mise en place d'horaires individualisés, du remplacement du paiement d'heures supplémentaires par un repos compensateur dans les entreprises sans représentation syndicale,

ZOOM De la veille au dialogue social

A Airbus France Toulouse, il existe une centaine d'horaires différents. Cette organisation complexe est rendue nécessaire par la production, qui varie énormément en fonction des commandes. Comme il est impossible de signer un accord pour chaque horaire, tout se discute en réunion de CE. *« Le dialogue social est permanent »*, explique Jean-François Knepper, élu FO.

La direction propose régulièrement des changements d'horaires ou de temps de travail. Les élus vont consulter les salariés concernés : *« Tout se fait sur la base du volontariat »*, affirme l'élu. Puis le comité négocie les compensations, dans la limite du bien-être des salariés. Côté direction, on confirme : *« On ne se demande pas si le droit du travail oblige à consulter le CE dans tel ou tel cas,* explique le juriste Jean-François Cambon, *mais si le cas est digne de figurer à l'ordre du jour du CE. »*

Ailleurs, le CE assure parfois une simple veille. Même en cas d'accord avec les syndicats, il peut ainsi servir de garde-fou. C'est arrivé au comité de la société HLM Opievoy quand un délégué syndical s'est retrouvé seul pour signer un accord sur le temps de travail avec la direction, sans voir qu'il remettait en cause certains acquis des gardiens d'immeuble. *« Nous avons fait savoir en réunion de CE que nous désapprouvions l'accord,* se souvient Patrick Menard, trésorier CFDT du CE. *La séance a été suspendue. La direction a reconnu que l'accord était caduc et l'a remanié. »*

Les élus ont également une position privilégiée pour connaître les attentes des collaborateurs. *« Au moment de la mise en place de la réduction du temps de travail, le CE a lancé un sondage sur les horaires des salariés,* se rappelle Jacques Labarthe, élu CFDT d'EADS Astrium. *Nous avons ici une très grande majorité d'ingénieurs et de cadres,*

du refus d'autorisation de certains congés et de la répartition de la durée hebdomadaire du travail sur quatre jours.
Là encore, les élus utilisent peu cette possibilité. D'une part parce qu'ils ne la connaissent pas toujours, mais aussi « *parce que ces mesures se font souvent à l'avantage du salarié. Ils n'ont donc aucune raison de s'y opposer* », analyse Christian Sciboz.

Contacts

- **Agence nationale pour l'amélioration des conditions de travail (Anact) :** 4 quai des Etroits, 69321 Lyon Cedex 05, tél. : 04 72 56 13 13, site : www.anact.fr
- **Observatoire sur la responsabilité sociétale des entreprises (Orse) :** 7 impasse Léger, 75017 Paris, tél. : 01 56 79 35 00, site : www.orse.org, courriel : contact@orse.org
- **Bureaux des temps :** il en existe dans de nombreuses villes. Ils aident à l'articulation des temps professionnels, privés et de loisirs. De nombreuses informations sur www.ville.gouv.fr/infos/dossiers/temps.html

dont les horaires ne sont pas contrôlés. Nous nous sommes alors rendu compte qu'ils travaillaient beaucoup trop et en avaient assez ! » Suite à ce constat, les choses sont en train d'évoluer.
Ailleurs encore, la réflexion du CE sur ce sujet peut aller vers une meilleure articulation de ses rôles économique et social. Ainsi, en 2004, la chambre régionale de l'économie sociale (Cres) de Bretagne et quelques associations de parents ont souhaité mettre en place une crèche ouverte de 6 h 00 du matin à 21 h 30 le soir. Elle est nécessaire aux parents dont les revenus et les horaires de travail ne permettent pas de faire appel à une nourrice. Immédiatement, les associations ont souhaité intégrer les CE à la réflexion : « *Ce genre de projet permet de lier l'activité économique du comité – en l'occurrence l'aménagement du temps de travail – à ses activités sociales et culturelles – ici, le cofinancement d'une crèche* », explique Alain Ridard, délégué régional de Face Cezam Bretagne.
Les CE des entreprises Equant et Transpac, d'une polyclinique et de la société des transports urbains de Rennes (Stur) ont participé à la mise en place de la crèche. « *La garde d'enfants a été le prétexte pour aborder la question de l'articulation des temps* », se réjouit Emmanuelle Rousset, directrice de l'association Parenbouge, collectif de parents qui propose des solutions de garde pour les jeunes enfants. Mais même dans ce cas, la question des aménagements des horaires, qui concerne surtout les femmes, est évoquée avec difficulté. « *Certains élus ne se sentent pas concernés par l'aménagement du temps de travail en fonction de la situation familiale,* explique Josseline Breno, élue CFDT à la Stur. *Ils n'ont accepté la crèche que parce qu'on les a mis au pied du mur.* »

Les conditions de travail

Le code du travail le dit clairement dans son article L 432-1, le comité d'entreprise est obligatoirement informé et consulté sur « *les questions intéressant l'organisation, la gestion et la marche générale de l'entreprise, et, notamment, sur les mesures affectant* [...] *les conditions d'emploi, de travail* ». Si le CE n'est pas consulté sur les changements qui affectent les conditions de travail, cela peut donc constituer un délit d'entrave.

Et les prérogatives du CE en la matière ne se limitent pas aux seules questions liées au temps de travail. Il doit aussi être consulté au sujet des déménagements (et la direction se doit de lui fournir des informations précises sur les nouveaux locaux) ou encore sur toute modification du règlement intérieur. La direction de Novartis-Pharma se l'est vu rappeler fermement fin 2004 : les élus de l'entreprise ont en effet saisi le tribunal de grande instance de Nanterre en référé. Et celui-ci a condamné l'entreprise pour ne pas avoir respecté les procédures de consultation : la direction avait notamment diffusé un document sur l'Intranet de l'entreprise avant toute consultation des élus.

Avec le CHSCT

Si le CE doit être consulté avant toute modification de l'organisation ayant un effet sur les conditions de travail des salariés, le comité d'hygiène, de sécurité et des conditions de travail (CHSCT) a aussi son rôle à jouer. Mais, de par ses attributions, il se penche, lui, plus spécifiquement

ZOOM Après une réduction d'effectifs...

En 2004, les élus du CE et du CHSCT de Rhodia ont décidé de travailler ensemble à l'annonce d'une réduction d'effectifs par l'entreprise chimique dans un de ses plus grands ateliers. Celui-ci avait dû faire face à une augmentation de sa production afin de répondre aux commandes d'un gros client, sans pour autant que la direction de Rhodia ne lui en ait donné les moyens. Du coup, l'atelier n'arrivait pas à suivre et elle devait payer des pénalités de retard à son client. Les élus du CE et du CHSCT se sont donc adressés à un cabinet d'expertise pour mesurer l'impact de cette décision.

L'expertise demandée comportait plusieurs volets : « *Le premier, économique, examinait le contrat passé avec la firme cliente et les contraintes qu'il imposait ; le second portait sur les conséquences sur les conditions de travail de la réorganisation* », raconte Lilian Brissaud, chargé d'études à Cidecos. « *Grâce à l'expertise, les salariés ont aussi pu se rendre compte que les premières réductions d'effectifs proposées allaient immanquablement être suivies d'autres et qu'ils allaient perdre les marges de manœuvre qu'ils pouvaient avoir dans leur travail* », souligne-t-il.

« *Les élus nous demandent maintenant des études sur l'impact sur les conditions de travail des salariés qui restent après un plan de réduction des effectifs, car ce n'est pas sans conséquences* », commente Valérie Estournesse, du cabinet Emergences.

sur les conséquences sanitaires de l'organisation du travail. « *Souvent, quand une décision impliquant des modifications des conditions de travail doit être examinée par le CE, il attend le résultat de la consultation du CHSCT pour rendre son avis* », explique Raphaël Thaller, directeur du cabinet d'expertise Cidecos. Prérogative du CHSCT, il peut demander à l'employeur la réalisation d'une expertise sur les modifications des conditions de travail.

Si le CE ne peut exiger d'expertise « santé et conditions de travail » comme le CHSCT, il peut commander des rapports sur ces thèmes, à condition de les financer sur ses fonds propres. « *De plus en plus de CE ont recours à nos services et commandent des études portant sur les conditions de travail* », remarque Valérie Estournesse, directrice du pôle expertise santé et travail du cabinet Emergences. Car aujourd'hui, souligne-t-elle, « *la question des conditions de travail préoccupe de plus en plus les salariés et les élus* ».

Le CE et le CHSCT doivent être consultés avant une décision pouvant avoir un impact sur les conditions de travail des salariés, mais aucune de ces instances n'a de droit de veto. Même si le CE rend un avis négatif, il n'est pas en mesure de s'opposer à une décision. De la même manière, l'avis du CHSCT n'est pas non plus suspensif. Toutefois, « *en cas d'enquête concernant un accident du travail, le fait que la direction n'ait pas tenu compte de l'avis du CHSCT peut être retenu contre elle* », souligne Raphaël Thaller.

ZOOM Pas de caméras de surveillance

Des caméras pour lutter contre les vols au sein de l'entreprise, telle est la proposition, en 2003, de la direction de Motor Press France, une société de presse spécialisée dans l'automobile qui emploie 220 personnes. « *Le directeur adjoint m'a convoquée pour m'informer de sa décision d'installer des caméras de surveillance suite à des vols*, raconte Delphine Torrekens, la secrétaire du CE. *Pendant l'entrevue, ma réaction a été vive. Ensuite, j'ai très vite informé les autres élus.* »

Globalement, ces derniers étaient opposés à ce projet qui créait dans les locaux une ambiance digne de George Orwell. « *Nous nous sommes adressés à Forma CE, le service d'expertise juridique auquel nous sommes abonnés* », poursuit-elle. La consultation du CE était obligatoire, celui-ci ayant un rôle à jouer dans la protection des libertés individuelles (une information est prévue non seulement en cas d'introduction de dispositifs de surveillance, mais aussi de traitements automatisés de gestion du personnel par exemple). Mais un vote négatif n'empêchait pas l'installation de caméras dans les parties collectives, même si dans les bureaux, elle aurait peut-être été empêchée par le désaccord des salariés concernés.

Parallèlement, les élus ont distribué des questionnaires pour connaître la position des salariés sur le sujet. « *L'opposition était importante. C'est d'ailleurs la seule fois qu'une réaction des salariés a eu lieu*, poursuit Delphine Torrekens. *A l'occasion de deux réunions extraordinaires du CE, nous avons demandé des précisions sur le projet : son coût, ses objectifs.* »

Finalement, le CE n'a pas eu à rendre d'avis. « *La direction a reculé devant la dépense, mais aussi devant l'opposition des élus et des salariés.* »

L'accès à l'information

Pour exercer son rôle économique en toute connaissance de cause, le comité d'entreprise a besoin d'accéder à l'ensemble des informations économiques, sociales et financières nécessaires. C'est pourquoi la loi prévoit qu'un mois après son élection, le CE reçoive de la direction des documents précisant l'organisation de l'entreprise, le cas échéant sa position dans le groupe auquel elle appartient, la répartition du capital entre les actionnaires en détenant plus de 10 % et les perspectives économiques.

Un rapport d'ensemble

Par ailleurs, au moins une fois par an, le chef d'entreprise doit fournir au CE un rapport d'ensemble écrit qui contient notamment des informations précises sur le chiffre d'affaires, les bénéfices ou les pertes constatés, les transferts de capitaux importants entre la société mère et les filiales, la situation de la sous-traitance, l'affectation des bénéfices éventuellement réalisés, les aides européennes, les aides à l'emploi, etc. La direction doit également fournir un document sur les pratiques sociales de l'entreprise. Appelé « bilan social » dans les firmes de plus de 300 salariés, il porte sur l'évolution de l'emploi, des qualifications, de la formation, des salaires, de l'égalité hommes-femmes, de la situation des travailleurs handicapés, etc. Celui-ci doit être remis au moins quinze jours avant son examen par le CE. Un document allégé, mais assez proche sur le fond du bilan social, est également exigé dans les entreprises de moins de 300 salariés.
La loi prévoit donc une information assez complète du CE, mais ces dispositions se heurtent à la difficulté des élus à analyser les documents transmis et au non-respect par la direction de certaines obligations, faute de temps et de moyens humains dans les PME notamment. L'accompagnement des experts peut aider le CE à mettre à profit les documents qui lui sont transmis. Lorsqu'il est nommé dans le cadre des missions légales rémunérées par la direction, l'expert a de droit accès à l'ensemble des documents de l'entreprise, dans les mêmes conditions que le commissaire aux comptes. Il peut donc remonter à la source des informations qui figurent dans les documents de synthèse envoyés habituellement par la direction, comme le bilan social ou le rapport d'ensemble. Mais lorsque les missions sont rémunérées directement par le CE, ce qui est rare, la transmission des informations se fait au bon vouloir de la direction.

46 documents

La liste des documents fréquemment demandés par les experts est accessible dans un rapport du Conseil supérieur de l'ordre des experts-comptables [1], qui en recense 46. Leur analyse permet de découvrir des flux financiers qui n'apparaissent pas dans le bilan et dans les comptes de résultat.

[1] *Mission légale d'assistance au comité d'entreprise : guide méthodologique*, Conseil supérieur de l'ordre des experts-comptables, 2005.

C'est le cas par exemple des rapports du commissaire aux comptes : ils certifient et valident les comptes de l'entreprise et listent les conventions passées entre les différents associés. On y trouve les informations qui permettent de suivre les transactions entre deux filiales d'un même groupe et les rémunérations des associés. Ainsi, le CE peut savoir si l'entreprise verse des loyers à une société civile immobilière (SCI) qui, en fait, appartiendrait au dirigeant de l'entreprise, ce qui constitue une rémunération supplémentaire. Il peut aussi connaître à quel prix l'entreprise a acheté telle ou telle licence pour utiliser la marque du groupe auquel elle appartient, et voir ainsi si la maison mère surexploite les capacités financières de sa filiale. Une telle information est stratégique car elle peut contribuer à dénoncer l'organisation de pertes systématiques afin de justifier l'arrêt d'activité sur un site de production.

L'ensemble des 46 documents listés par le Conseil supérieur de l'ordre des experts-comptables est accessible de droit aux experts. En contrepartie, le CE et les experts qu'il nomme sont tenus à des obligations de confidentialité sur les procédés de fabrication et sur les documents financiers dits « sensibles », tels que le compte de résultat prévisionnel. Le respect de cette clause de confidentialité est obligatoire quel que soit le contexte (analyse des comptes, droit d'alerte...).

Les CE et le rapport développement durable

Depuis la loi sur les nouvelles régulations économiques de 2001, dite loi NRE, les entreprises cotées à la Bourse de Paris sont obligées de fournir, au sein de leur rapport financier annuel envoyé à l'ensemble de leurs actionnaires, un rapport développement durable. Une obligation qui est encore inégalement respectée par les grandes entreprises du CAC 40.

Ce rapport peut être utilisé par les CE, mais peu se sont saisis de cette opportunité, probablement du fait de la nouveauté du sujet et de la difficulté à faire le lien avec les questions centrales que sont, pour eux, l'emploi et les salaires. Certains rapports, considérés comme de simples opérations de communication, souffrent aussi d'un manque de crédibilité. Pour autant, le développement durable est entré dans les programmes de formations syndicales proposées aux élus des CE, notamment par la CGT.

Les nouvelles technologies

Depuis 1982, les CE sont obligatoirement informés et consultés lorsque la direction présente *« un projet d'introduction de nouvelles technologies susceptibles d'avoir des conséquences sur l'emploi, la qualification, la rémunération, la formation ou les conditions de travail du personnel »*, selon les termes du code du travail. Un mois avant la réunion du CE, les élus doivent recevoir des éléments sur les nouvelles technologies et leurs conséquences prévisibles.
Mais qu'est-ce qu'une « nouvelle » technologie ? *« Si l'entreprise change d'ordinateurs ou installe des écrans plats, ce n'est pas un projet qui nécessite la consultation du* CE, précise François Cochet, spécialiste des missions nouvelles technologies au sein de Secafi-Alpha. *En revanche, le changement de logiciels ou encore le fait de donner des ordinateurs portables à tous les commerciaux itinérants pour qu'ils travaillent à l'extérieur doivent impérativement être soumis au* CE *pour consultation. »* Une frontière qui a donné lieu à de nombreux conflits devant les tribunaux. On peut retenir que la technologie n'a pas besoin d'être nouvelle en soi, mais nouvelle dans l'entreprise et qu'elle doit avoir un impact significatif sur un nombre important de salariés.

Des conséquences sous-estimées

Une fois saisi, le CE donne son avis sur la pertinence de la technologie (est-elle adaptée, le coût est-il raisonnable ?, etc.). Le CE d'une caisse

ZOOM Progrès technique au Progrès de Lyon

Le Progrès de Lyon, quotidien régional de Rhône-Alpes [1], perd de l'argent depuis plusieurs années et voit sa diffusion baisser régulièrement. Pour faire des économies, la direction du journal a lancé en 2004 le projet Millenium qui modifie considérablement l'organisation du travail. L'objectif affiché était d'alléger la masse salariale. Dans ce contexte, le CE a utilisé son droit d'alerte et confié au groupe Alpha une analyse qui décortique la nouvelle organisation du travail issue de la mise en réseau de l'ensemble des agences locales et du site centralisé qui met le journal en page.
Le rapport montre le renforcement des contraintes pour les correspondants locaux et pour les secrétaires de rédaction et, à l'inverse, l'allégement de la charge de travail des techniciens qui s'occupent du montage des pages au point de faire peser des risques pour l'emploi. Conscient « *qu'une grande partie du travail des monteurs disparaît* », le rapport préconise un autre scénario que la suppression des emplois au fur et à mesure des départs non remplacés : il propose de former les techniciens de maquette pour faire évoluer leur métier et assurer la pérennité de leur fonction.
Par ailleurs, le rapport met en évidence les zones d'ombres du projet Millenium, comme le décalage des horaires de travail pour certaines catégories de personnel ou le manque de place dans certaines agences locales qui doivent accueillir de nouveaux postes.

[1] Vendu en février 2006 par la Socpresse à *L'Est républicain*.

régionale du Crédit agricole a par exemple donné un avis négatif lorsque la direction a annoncé son intention d'importer le système informatique de la région voisine alors qu'il était déjà manifestement obsolète. Mais l'attention des élus se concentre surtout sur les conséquences en termes d'emplois et de conditions de travail. « *Elles sont parfois sous-estimées par les élus des CE* », explique François Cochet, alors qu'elles peuvent bouleverser le quotidien des salariés, dévaloriser certains métiers, voire remettre en cause leur emploi.

Malgré l'importance du sujet, les CE sont peu nombreux à donner leur avis lorsqu'un plan leur est soumis [1]. « *Je vois encore des CE qui ne connaissent pas l'existence de cette disposition du code du travail* », explique Serge Gauthronet, de la Scop Arete, un des trois gros cabinets spécialisés dans ce domaine. Dans les secteurs industriels touchés par des réductions d'effectifs, cette timidité s'explique, selon François Cochet, par le fait que « *les élus du CE ont tendance à penser que tout investissement technologique va améliorer la compétitivité de l'entreprise et donc sa capacité à sauvegarder l'emploi* ».

« *A la différence des interventions sur l'analyse des comptes ou sur un plan de licenciement, il faut prouver que la nouvelle technologie a des conséquences sur l'emploi ou les conditions de travail* », précise Hélène Robert du cabinet Syndex. Sur ce sujet, le CE peut aussi demander au comité d'hygiène, de sécurité et des conditions de travail (CHSCT) de se saisir de cette mission et faire valoir éventuellement son droit à l'expertise.

La principale revendication des CE porte sur la formation. Ainsi, lorsque la ville de Rennes a lancé son réseau de métro en 1997, il a fallu former

[1] **Ils utilisent peu le recours à l'expertise qui est pourtant un droit dans les entreprises de plus de 300 salariés.**

ZOOM Des guichetiers payeurs désormais agents d'accueil

Avec l'arrivée de nouvelles générations de distributeurs automatiques dans les banques, l'organisation du travail dans les agences est en profonde évolution. Quand les machines peuvent distribuer de l'argent liquide, assurer les dépôts et détecter les faux billets, que reste-t-il aux traditionnels guichetiers payeurs qui, assis derrière leur vitre blindée, manipulaient toute la journée des espèces ? Devenir des agents d'accueil dont la fonction est d'orienter les clients, d'assurer une permanence téléphonique ou d'accompagner les personnes âgées... vers les distributeurs automatiques. Un nouveau métier qui demande de fortes compétences relationnelles.

Une dizaine de milliers de salariés sont concernés par cette évolution qui n'aurait pas eu lieu sans l'introduction de nouvelles technologies dans les anciens distributeurs automatiques. C'est pourquoi les comités d'entreprise des principaux réseaux bancaires sont consultés sur ces évolutions. « *Les revendications des CE portent principalement sur l'amélioration des postes de travail afin de limiter le risque de maladies professionnelles liées à la station debout, sur l'automatisation des tâches les plus répétitives et sur le fait de donner la possibilité à un ancien guichetier payeur de refuser de devenir agent d'accueil s'il pense ne pas avoir les compétences relationnelles pour exercer ce nouveau métier* », explique Serge Gauthronet d'Arete.

des centaines de conducteurs de bus à devenir opérateurs d'un nouveau mode de transport. Ce qui soulevait, au-delà des questions de qualifications, de redoutables problèmes en termes de coefficient, de grille d'évolution de salaires, de statuts...

Internet et Intranet

Internet, Intranet et le développement du télétravail constituent de nouveaux objets d'intervention pour les CE dans le domaine des nouvelles technologies. Lorsqu'une entreprise installe Internet, elle met très souvent en place des systèmes de protection (pare-feu/*firewall*), des boîtes de messagerie, etc. qui s'accompagnent d'un système de contrôle qui permet par exemple de savoir quels sont les plus gros utilisateurs, les sites visités... C'est pourquoi le fait même d'installer Internet justifie la consultation du CE, non au titre des nouvelles technologies, mais à celui de la protection de la vie privée des salariés. Lorsqu'Internet s'accompagne d'un Intranet qui met en réseau les différents postes de l'entreprise, la consultation du CE sur les conséquences de cette nouvelle technologie est obligatoire. Quant au télétravail, il reste pour le moment le fait de quelques métiers comme ceux de consultants, d'informaticiens qui font de la maintenance sur site, de visiteurs médicaux, de commerciaux itinérants, etc.
Au final, il y a encore peu de dialogue social sur les nouvelles technologies. Une règle qui comporte aussi ses exceptions. « *Quelques entreprises, comme la Macif, ont accepté la création au sein du CE d'une commission nouvelles technologies qui soit dotée d'un droit récurrent de recours à un expert et associée en amont aux innovations* », analyse Serge Gauthronet. Un choix que d'autres CE pourraient proposer à leur direction.

Contacts

Trois cabinets se partagent la majorité des interventions nouvelles technologies auprès des CE.

- **Arete : 3-5 rue de Metz, 75010 Paris, tél. : 01 40 22 12 12, site :** www.arete.fr, **courriel :** contact@arete.fr
- **Secafi-Alpha : 20 rue Martin-Bernard, 75013 Paris, tél. : 01 53 62 70 00, site :** www.groupe-alpha.com
- **Technologia : 10 rue des Messageries, 75010 Paris, tél. : 01 40 22 93 63, site** www.technologia.fr, **courriel :** contact@technologia.fr

La formation professionnelle

Le CE doit être consulté sur la politique de formation de l'entreprise. Sa non-consultation ou sa consultation tardive étant même constitutive du délit d'entrave. Mais surtout, l'employeur peut être soumis à une majoration de 50 % de sa contribution fiscale s'il ne le fait pas. Si c'est l'employeur qui détermine le plan de formation et les personnes concernées, le CE, ne serait-ce qu'en rendant son avis motivé, est amené à participer à son élaboration. Mais « *dans les entreprises, l'information sur les formations n'est pas extraordinaire, il s'agit souvent d'un document unilatéral. Cependant, certains CE arrivent à le changer* », note Claire Baillet, gérante de l'organisme de formation Alinéa.

Plusieurs consultations

La loi prévoit plusieurs consultations du comité d'entreprise sur la formation professionnelle. La première porte sur les orientations générales de l'entreprise en matière de formation, intégrant la politique de recherche et de développement, les perspectives économiques pour l'année à venir... et ce qui touche à la gestion prévisionnelle des emplois et des compétences (GPEC). « *Si aucune date n'est impérativement fixée pour la consultation sur les orientations générales, le plus tôt est le mieux* », recommande Marie-Agnès Erdozain, responsable de la formation des élus de CE à l'Irefe, organisme de formation francilien proche de la CFDT.

La deuxième consultation porte sur le plan de formation de l'entreprise. Il se décline en fait en deux réunions : l'une concerne les plans de l'année passée et de celle en cours, et doit avoir lieu avant le 14 novembre ; l'autre est relative au plan de formation pour l'année à venir et doit se dérouler avant le 31 décembre.

La contribution de l'employeur

Les entreprises de plus de dix salariés doivent consacrer au moins 1,6 % de leur masse salariale brute à la formation : 0,2 % pour le congé individuel de formation (CIF), versé à un organisme paritaire collecteur gestionnaire du CIF ; 0,5 % est versé à un organisme paritaire collecteur agréé (Opca) pour financer des contrats et périodes de professionnalisation, ainsi qu'au titre du droit individuel à la formation (DIF) ; 0,9 % va au financement d'actions de formation décidées par l'employeur dans le cadre de son plan de formation. Ce 0,9 % peut être directement dépensé par l'entreprise, en organisant en interne des formations ou en passant par des organismes... Des formations dans le cadre du DIF peuvent aussi lui être imputées.

Adaptation, développement ou perfectionnement des compétences, actions de prévention, de promotion, de conversion... sont des formations qui peuvent s'insérer dans le cadre de la contribution. Comme le bilan de compétences et la validation des acquis de l'expérience. Certaines, en revanche, ne le sont pas : la présentation d'un nouveau matériel, un séminaire de motivation ou de détente.

L'employeur doit déclarer aux services fiscaux au plus tard en avril les sommes dépensées dans ce cadre, ainsi que le nombre de salariés par sexe et catégories en ayant bénéficié. Il doit en outre envoyer une déclaration sur l'honneur attestant avoir consulté le CE. Il peut être soumis à une majoration de 50 % de sa contribution légale si tel n'est pas le cas.

Les élus doivent recevoir les documents au moins trois semaines avant la consultation, leur liste étant définie à l'article D 932-1 du code du travail. L'apprentissage, notamment, fait par ailleurs également l'objet d'une consultation obligatoire.
Le plan de formation est soumis par ailleurs également avis motivé au comité d'entreprise en tant que projet. Selon la loi du 4 mai 2004, il se divise en trois catégories d'actions : des actions d'adaptation au poste de travail, qui ont lieu pendant le temps de travail ; des actions d'évolution des emplois et de maintien dans l'emploi, pouvant donner lieu à des dépassements d'horaires rémunérés ; des actions de développement des compétences, qui, avec l'accord du salarié, peuvent se faire en tout ou partie hors du temps de travail. Coexistent ainsi des actions effectuées en totalité sur le temps de travail et d'autres que l'employeur pourra proposer hors du temps de travail. La catégorisation des actions représente donc un enjeu sur lequel le CE a à s'exprimer.

Des inégalités d'accès

Obligatoire dans les entreprises d'au moins 200 salariés, la commission emploi-formation prépare les délibérations du CE, étudie les moyens

ZOOM Les inégalités persistent

Je n'ai jamais vu un plan de formation complet, la procédure de consultation est rarement respectée à la lettre », remarque Marie Boussin, juriste au sein du cabinet conseil Acteur juridique. « *Nous avons beaucoup de difficultés à obtenir les plans de formation et à dialoguer avec la DRH* », déplore Serge Naviliat, secrétaire CFDT du comité d'entreprise d'Hexcel Composites, entreprise d'environ 270 salariés, filiale du groupe américain Hexcel Corporation. Il ne veut toutefois pas brandir le délit d'entrave : « *Nous demandons régulièrement à être informés et à ce que les données soient présentées à temps.* » D'autant que le CE n'est pas doté d'une commission formation.
Chez Hexcel Composites, Serge Naviliat note des inégalités d'accès aux formations : « *Elles sont toujours accordées aux mêmes : les services techniques et le personnel d'encadrement, mais pas la production.* » Et celles dispensées aux ouvriers, au nombre de 150 environ, ne développent pas, selon lui, leurs compétences, mais concernent les gestes et les postures.
Côté information à destination des salariés, au CE d'Adecco France Est, des *Infos flashs* sont envoyées au niveau des agences. La grande difficulté étant ici de toucher les intérimaires et pas seulement les permanents, explique Jean-Michel Leblanc, son trésorier CFDT.
Chez Hexcel Composites, un site Internet a été créé pour les salariés. Ils peuvent y trouver des explications sur les dispositifs de formation, DIF, CIF, etc. « *Dans un sens, nous avons rempli notre devoir d'information* », juge Serge Naviliat, qui espère que la situation, à force de rappels et d'avis motivés, pourra s'améliorer. Quant à Adecco France Est, après des débuts difficiles, le CE et sa commission commencent à bien fonctionner et l'enquête auprès des salariés sera la prochaine étape. Les élus du CE souhaitent en effet la lancer cette année, en juin, en association avec la direction.

propres à favoriser l'expression des salariés en cette matière et participe à leur information. Elle reçoit le rapport annuel sur la situation comparée des hommes et des femmes en matière de formation.
Le taux moyen de participation financière des entreprises au titre de la formation professionnelle était de près de 2,90 % en 2003, selon le Céreq [1]. En baisse par rapport aux années précédentes, il reste au-dessus du 1,6 % exigé par la loi (voir encadré page 71). Pourtant, des inégalités persistent : entre hommes et femmes, entre cadres et ouvriers...
Le CE a ici un rôle important, en demandant à ce que les bénéficiaires ne soient pas toujours les mêmes, en anticipant les inadaptations aux postes. *« Pour cela, il doit avoir une vision assez claire de la situation de l'entreprise, de son environnement, de l'évolution des métiers et des qualifications »*, explique Fabrice Signoretto, directeur de Forma CE. Il peut aussi aller au-devant des salariés, organiser un sondage, une enquête, pour faire remonter les besoins, proposer lui-même des actions.

[1] **Voir** www.cereq.fr/2483/annee2003.htm

Le point sur le DIF

Instauré dans le cadre de la loi du 4 mai 2004, le droit individuel à la formation (DIF) ouvre droit à 20 heures de formation par an et par salarié, cumulables sur six ans. Mais si ce droit est à l'initiative du salarié, l'employeur peut le refuser. Au bout de deux années consécutives de refus, la demande sera transférée à l'organisme collectif gestionnaire du congé individuel de formation. De ce fait, le DIF ouvre surtout au salarié des voies pour discuter avec l'employeur de ses besoins ou désirs de formation.

« Au travers du DIF, on individualise les parcours, ce qui rend plus délicat le rôle des élus, **estime Laurent Jeanneau, directeur technique d'Acces Consulting.** ***Ils peuvent cependant demander à être consultés sur les critères que l'employeur peut mettre en place, à défaut ou en complément d'un accord de branche sur le sujet, pour accorder ou refuser un DIF, ainsi que sur l'imputation du temps de formation dans ou hors du temps de travail. »***

Le fait qu'il puisse se faire hors temps de travail, même si cela donne droit à une allocation équivalente à 50 % du salaire net, pourrait pénaliser certaines catégories de salariés, notamment les femmes. Dans les petites entreprises, la dimension hors temps de travail pourrait en revanche faciliter l'accès à la formation, car l'absence du salarié y est aussi coûteuse que les frais de formation.

Il est encore trop tôt pour savoir comment ce DIF va être utilisé. De plus, les entreprises risquent d'orienter les choix, de financer ce qui les intéresse, de mélanger DIF et plan de formation. De ce point de vue, les élus du comité d'entreprise devront être très vigilants.

Participation, intéressement et épargne salariale

L'intéressement, la participation et les plans d'épargne entreprise (PEE) sont les seuls domaines où le CE est habilité, par dérogation, à négocier et à signer un accord d'entreprise. Ces dispositifs sont à la fois un moyen d'intéresser les salariés aux résultats de l'entreprise mais aussi de flexibiliser la rémunération des salariés et de la rendre plus dépendante de la santé de leur société. Ils peuvent être mis en place par accord avec les délégués syndicaux, avec la majorité du CE ou sur la base d'une proposition de la direction ratifiée par les deux tiers du personnel, ou même unilatéralement par le chef d'entreprise dans le cas du PEE. Dans la pratique,

ZOOM Placer son argent en étant socialement responsable

Depuis 2002, les CE qui négocient des plans d'épargne entreprise (PEE) peuvent choisir des fonds solidaires. 350 CE sont déjà passés à l'action et 70 000 salariés sont devenus des épargnants solidaires via leur PEE en 2005. La notion d'épargne salariale solidaire recouvre en fait ce qu'on définit plus généralement comme une épargne socialement responsable, même si on y trouve des organismes de financement solidaire à proprement parler qui permettent de soutenir des entreprises d'insertion.

L'épargne salariale solidaire est labellisée par le Comité intersyndical de l'épargne salariale (CIES) composé de la CFDT, de la CGT, de la CGC et de la CFTC. Le 1er mars 2006, 12 fonds ont reçu ce label qui repose sur une logique d'investissement socialement responsable [1]. Trois caractéristiques les différencient des fonds standards. D'abord, la place des représentants des salariés dans la gouvernance du fonds : ils doivent être majoritaires et dotés de vrais pouvoirs. *« Le conseil de surveillance participe chez nous notamment à la définition des politiques d'investissement et de vote aux assemblées générales »*, explique Frédéric Meschini, de Macif gestion. Ensuite, la labellisation porte sur les critères de sélection des entreprises dont le fonds achète des actions, qui doivent être socialement responsables. *« Chez Macif gestion, nous recoupons les informations des agences de notation sociale comme Vigeo avec celles que nous sollicitons directement auprès des parties prenantes (sections syndicales par exemple) »*, explique Frédéric Meschini. Enfin, le service rendu aux salariés : un fonds labellisé doit minimiser les frais de gestion à la charge des salariés et offrir différents profils, plus ou moins risqués pour que chaque salarié s'y retrouve.

Parmi ces douze fonds labellisés, certains, comme ceux du Crédit agricole, de Natexis et de la Macif, consacrent au moins 5 % de l'encours à des titres émis par des organismes de financement solidaire, comme la Société d'investissement France active (Sifa), Habitat et humanisme et l'Association pour le droit à l'initiative économique (Adie). Ils peuvent alors recevoir, s'ils le demandent, le label Finansol.

[1] Liste des fonds labellisés CIES au 31 mars 2006 : Arcancia label (SGAM), Axa génération (AXA IM), Epargne responsable (Groupama), Expansor (Ionis), Fongépar plus (CDC), Fructi ISR (Banque populaire), Horizon solidarité (Prado épargne), Macif épargne, Pactéo label (Clam), Philéis (BNP Paribas), Social active (Crédit Mutuel CIC) et Uni SR (Crédit agricole).

ils sont le plus souvent négociés par les organisations syndicales. Mais, même dans ce cas, le CE est au minimum consulté.
Les projets d'accord doivent lui être transmis au moins 15 jours avant la signature. Dans les six mois qui suivent la clôture de chaque exercice comptable, le CE reçoit un rapport sur les éléments servant de base au calcul de l'enveloppe financière à répartir entre les salariés (« la réserve spéciale de participation ») et sur la gestion et l'utilisation des sommes affectées à cette réserve.

Participation, intéressement, plan d'épargne salariale, comment ça marche ?

Participation

La participation est obligatoire dans les entreprises de plus de 50 salariés dont le bénéfice net, c'est-à-dire après paiement des impôts, est supérieur à 5 % des capitaux propres de l'entreprise. La loi prévoit une formule type pour calculer le montant à répartir entre les salariés, ce qui s'appelle la réserve spéciale de participation. Un accord d'entreprise peut définir une autre formule à condition que son application entraîne un résultat au moins égal à celui de la formule légale.
La participation est bloquée pendant cinq ans. Le salarié peut débloquer les sommes dans certains cas : mariage ou Pacs, naissance ou adoption d'un troisième enfant, divorce ou séparation, invalidité, création d'entreprise, acquisition ou agrandissement de la résidence principale et surendettement. Elle est exonérée de cotisations sociales patronales et salariales mais soumise, après abattement de 5 %, à la CSG et à la CRDS. Son montant individuel est limité à 23 300 euros [1].
Les sommes revenant au titre de la participation et les plus-values éventuellement réalisées sont exonérées d'impôt sur le revenu si elles sont bloquées pendant cinq ans.

Intéressement

L'accord d'intéressement est facultatif. La formule de calcul est libre, mais encadrée par le fait qu'elle ne doit pas exclure de catégories de salariés du bénéfice de l'intéressement, que le résultat doit être aléatoire et que l'objectif fixé, financier (augmentation du résultat net...) ou organisationnel (amélioration de la qualité...), ne peut pas être individualisé.
A la différence de la participation, les sommes versées au titre de l'intéressement sont immédiatement disponibles, sauf si les salariés décident individuellement de les placer sur un plan d'épargne. Le montant global de l'intéressement ne peut pas dépasser 20 % des salaires bruts versés aux salariés au cours de l'exercice, et la prime par salarié ne peut pas dépasser 15 000 euros [2].
Contrairement à la participation, l'intéressement est soumis à l'impôt sur le revenu, sauf s'il est mis sur un plan d'épargne dans les quinze jours qui suivent son versement. Dans ce cas, il est exonéré d'impôt sur le revenu dans la limite de 15 000 euros en 2006.

Epargne salariale

Les plans d'épargne salariale sont facultatifs. Ils peuvent prendre trois formes : le plan d'épargne entreprise (PEE), accord dans une seule entreprise, montants bloqués pendant cinq ans ; le plan d'épargne interentreprises (PEI), accord dans plusieurs entreprises, montants bloqués cinq ans ; ou le plan partenarial d'épargne salariale volontaire (PPESV), qui implique obligatoirement la signature d'un PEE et ne peut se faire que dans une seule entreprise, avec des montants bloqués dix ans.
Ces plans sont alimentés par des versements volontaires des salariés (issus par exemple de l'intéressement et de la participation) qui peuvent être, en fonction de l'accord, abondés par l'entreprise dans la limite de 2 300 euros par an et par salarié. Les sommes versées sur les plans sont placées soit en action de l'entreprise, soit dans des fonds communs de placement qui acquièrent des actions d'autres entreprises. Pour le salarié, la fiscalité des plans d'épargne est la même que celle de la participation.

[1] Soit 75 % du plafond annuel de la Sécurité sociale 2006.
[2] Soit 50 % du plafond annuel de la Sécurité sociale 2006.

Que faut-il négocier ?

Premier point clé de la négociation : la définition du périmètre de l'accord. Il peut être signé au niveau du groupe ou de chacune de ses entités. Autre enjeu : le calcul de la formule qui engendre l'enveloppe financière. Pour la participation, il s'agit de rechercher une règle plus favorable aux salariés que la formule légale. Arc International, dont le siège est situé dans le Pas-de-Calais, dispose d'un accord qui exclut du calcul des bénéfices nets les coûts de location-gérance des sites de production. Ainsi, malgré un résultat négatif, l'entreprise a versé en 2005 une participation à ses salariés.
Troisième aspect de la négociation, pour la participation comme pour l'intéressement, le mode de répartition entre les salariés. La « prime » est en principe proportionnelle au salaire, mais l'accord peut la rendre proportionnelle au temps de travail ou égale pour tous. Enfin, il s'agit d'affecter les fonds collectés : sont-ils placés en actions de l'entreprise ou dans un fonds commun de placement dans le cadre d'un plan d'épargne salarial ? Dans ce cas, de nouvelles questions se posent. *« Les directions, les représentants du personnel et les comités d'entreprise regardent quels sont les frais de tenue de compte payés par l'entreprise, les frais de gestion supportés par les salariés directement, les critères d'investissement du fonds et les profils des produits financiers qui doivent être suffisamment divers pour que chaque salarié s'y retrouve »*, explique Frédéric Meschini, de Macif Gestion, la filiale de gestion d'actifs du groupe Macif (voir Zoom page 74).
La négociation et le suivi des accords de participation et d'intéressement nécessitent des connaissances financières. La loi ne prévoit pas d'assistance extérieure pour la négociation, mais permet au CE de se faire assister par un expert-comptable à la charge de l'entreprise (voir page 48) pour assurer le suivi de l'accord de participation. En matière d'intéressement, la mission est à la charge du CE. L'expertise peut révéler des surprises. Dans une entreprise de mécanique, le cabinet Syndex a découvert que les indemnités payées par la Sécurité sociale, par exemple aux femmes enceintes, n'étaient pas intégrées dans la masse salariale, elles étaient ainsi privées d'une grande partie de leur participation.
Le suivi des accords de participation est aussi l'occasion de mettre l'accent sur les stratégies d'optimisation fiscale. Car on ne compte plus les entreprises qui réalisent des résultats bruts positifs… mais pas de bénéfices nets. Or, ce sont eux qui servent de base au calcul légal de la participation.

Fiches rédigées par Pascal Canfin, Charlotte Chartan, Christelle Fleury, Mélanie Mermoz et Jalila Zaoug

Les activités sociales et culturelles

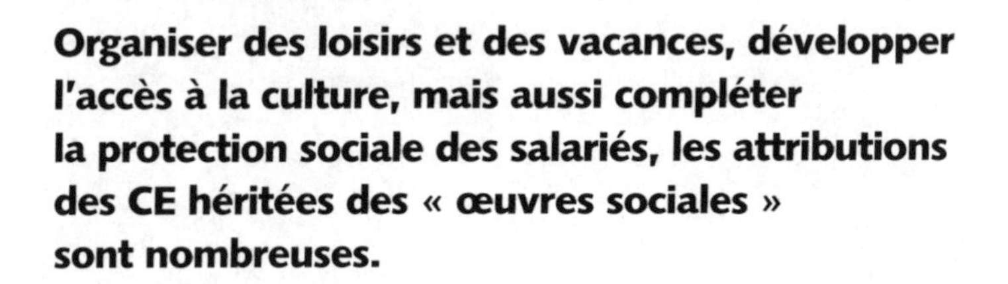

Organiser des loisirs et des vacances, développer l'accès à la culture, mais aussi compléter la protection sociale des salariés, les attributions des CE héritées des « œuvres sociales » sont nombreuses.

Améliorer le quotidien des salariés

Les attributions du comité d'entreprise sont larges en matière de gestion des activités sociales et culturelles. Le CE dispose d'un monopole et d'un véritable pouvoir de décision et d'intervention... dans la limite de son budget.

Les « œuvres sociales », telles qu'on les désignait jusqu'en 1982, ont été confiées aux comités d'entreprise. L'article R 432-2 du code du travail le précise : il s'agit de développer l'accès des salariés aux loisirs, aux vacances et à la culture, de leur permettre de bénéficier d'une restauration de qualité et de compléter leur protection sociale, pour améliorer ainsi leur bien-être. Mais le but était aussi, au lendemain de la guerre, de contrecarrer le paternalisme patronal et de confier aux représentants des salariés la gestion de ces activités. Cela explique pourquoi le comité d'entreprise a un monopole en la matière. La loi dispose en effet (article L 432-8 du code du travail) que *« le comité d'entreprise assure ou contrôle la gestion de toutes les activités sociales et culturelles établies dans l'entreprise »*.
« Le CE a donc un vrai pouvoir de décision autonome. En pratique, l'employeur ne se prononce jamais sur le choix des activités sociales et culturelles », confirme Gérard Despierre, secrétaire confédéral de la CFDT. Dans ce domaine, les attributions du CE ne sont pas seulement consultatives, il dispose d'un véritable pouvoir de décision. Les activités sociales et culturelles, telles qu'on les désigne aujourd'hui, ont même un budget distinct, issu de la contribution patronale (voir page 36).

Les ayants droit

Ce même article R 432-2 prévoit que les activités sociales et culturelles se déploient au bénéfice des *« salariés ou anciens salarié de l'entreprise et au bénéfice de leur famille »*. Les retraités ou anciens salariés au chômage sont donc prévus parmi les bénéficiaires. *« Nous offrons tous les ans un repas et un voyage à nos retraités pour éviter une rupture brutale avec le monde du travail. A chaque fois, nous affrétons cinq bus »*, explique Bernadette Vadurel, la trésorière du CE de Carbone Lorraine, producteur de machines et procédés chimiques. Les salariés retraités y conservent par ailleurs l'accès aux tarifs négociés par le CE pour la mutuelle santé, les billets de spectacles et le tirage de photos. L'action de ce comité lui a d'ailleurs valu de recevoir le premier prix de la gestion des seniors du Trophée des CE (voir aussi Zoom page 82). Mais cette politique pose des problèmes : *« A elles seules, ces sorties absorbent 16 500 euros dans notre budget, et cette charge financière croît chaque année car le nombre de retraités augmente, alors que l'effectif des salariés actifs tend à se réduire »*, explique ainsi la trésorière du comité d'entreprise.

Autre question, les salariés aux statuts précaires en contrat à durée déterminée et les intérimaires, de même que le personnel mis à disposition par une autre entreprise peuvent également, dans certains cas, être considérés comme des ayants droit. Et depuis 2001, des personnes extérieures à l'entreprise peuvent aussi avoir accès à ces activités à condition que cela reste minoritaire. Le cas des salariés des entreprises sous-traitantes est plus épineux, ils dépendent en effet des institutions représentatives du personnel de leur propre entreprise.

Sans discrimination

La participation aux activités proposées par les comités d'entreprise est bien sûr facultative, mais leur attribution doit se faire sans discrimination, même si l'aide fournie aux salariés dans ce cadre varie souvent en fonction des revenus. Lorsque le CE veut apporter une aide plus conséquente aux personnes plus modestes, le quotient familial peut être retenu comme base de calcul pour constituer des grilles et des barèmes, en fonction du salaire ou du taux d'imposition ainsi que du nombre d'enfants et de leur âge.
Les activités sociales et culturelles des CE se déploient de façon très différente selon les entreprises, selon la politique des élus, mais aussi et surtout selon le budget dont ils disposent. Le CE peut choisir entre différents modes de gestion. Soit la gestion directe des activités sociales et culturelles avec, le cas échéant, constitution de commissions spécialisées (par exemple vacances, enfance, logement, etc.), soit la délégation de compétences à des personnes, physiques ou morales, prenant en charge la gestion d'une part de ses activités (par exemple, la restauration est confiée à un gérant). Dans ce cas, le CE doit être représenté à 50 % dans les conseils d'administration ou les organes de direction. Par ailleurs, il peut choisir de déléguer une partie de ses compétences à un comité interentreprises.
Pour gérer les activités sociales et culturelles, le CE peut embaucher un salarié, mais ce cas de figure reste exceptionnel (voir page 37). Il a plus

Les responsabilités du CE vis-à-vis de l'Urssaf

Les CE sont soumis aux contrôles des Urssaf, chargées des recouvrements des cotisations de Sécurité sociale et d'allocations familiales.
En principe, seules peuvent être exonérées de cotisations sociales les sommes versées ayant le caractère de secours exceptionnel. Mais l'administration est dans les faits plus tolérante et d'autres prestations échappent aux cotisations : ce sont les prestations en nature dont bénéficient collectivement les salariés au titre des activités sociales et culturelles. On y trouve les réductions tarifaires obtenues sur les voyages, les spectacles ou la pratique d'un sport. Ainsi que les primes de crèche, de nourrice ou de garde d'enfants (dans la limite d'un montant annuel), les aides versées aux particuliers employeurs pour des services à domicile, la participation à des régimes complémentaires de retraite et de prévoyance. Les bons d'achat et autres avantages en espèces ne sont en principe pas exonérés de cotisations sociales, sauf sous certaines conditions, définies par l'Agence centrale des organismes de Sécurité sociale (Acoss), qui coordonne les différentes Urssaf. Ainsi, la valeur du bon d'achat ne doit pas excéder 5 % du plafond mensuel de Sécurité sociale par événement et par année civile (soit un peu plus de 100 euros environ). L'Acoss édite un fascicule à destination des CE, pour en savoir plus : www.urssaf.fr

souvent recours à des prestataires extérieurs dans le cadre d'une relation contractualisée. Dans tous les cas, il est soumis aux cotisations sociales, selon des règles précises que contrôle l'Urssaf (voir encadré page 80). Critiquées car elles détourneraient les CE de leurs missions économiques, les activités sociales et culturelles sont aussi un moyen d'augmenter indirectement le revenu des salariés et de créer du lien social au sein de l'entreprise.
Si un CE n'assure pas ses attributions sociales et culturelles, le chef d'entreprise peut l'astreindre par voie de justice à remplir ses obligations. Même si les cas sont rares, cette carence peut en effet être constitutive d'une faute.

La protection sociale

Bien que ce rôle soit moins connu, les CE s'impliquent aussi dans le champ de la protection sociale (mutuelle, prévoyance et retraite), qui entre dans le cadre de ses activités sociales et culturelles et dépend du même budget. Ils peuvent ainsi prendre en charge une partie des cotisations à la mutuelle de santé (voir page 106). L'implication financière des comités d'entreprise porte en pratique prioritairement sur la mutuelle, notamment car celle-ci constitue un enjeu fort de solidarité dans l'égalité d'accès aux soins. Les initiatives gouvernementales pour abaisser les coûts font en effet retomber sur les mutuelles (et à défaut sur les patients) une part croissante des remboursements maladie qui ne sont plus effectués par la Sécurité sociale. Ce qui a tendance à augmenter de fait les cotisations. Une participation des CE au régime de prévoyance, c'est-à-dire concernant les arrêts de travail, les risques d'invalidité et de décès, est rare ; elle est quasi inexistante pour les régimes de retraite non légalement obligatoires (voir page 104).
Dans la protection sociale, il y a en effet une différence entre les régimes dits facultatifs, que les comités d'entreprise peuvent gérer, et les régimes dits obligatoires qui, résultant d'un accord collectif, ne relèvent pas du domaine de ses prérogatives. Une différence d'autant plus importante que la loi Fillon sur la réforme des retraites de 2003 encourage, par une politique d'exonération de cotisation, l'instauration de régimes obligatoires. Bien sûr, les CE peuvent continuer à y participer, financièrement, mais aussi en étant consultés lors de leur mise en place et en participant éventuellement à leur suivi.
Autre champ qui touche de près la qualité de vie des salariés : le logement (voir page 102). Dès leur création, les comités d'entreprise ont eu pour mission de participer à la gestion de l'accès au logement dans la France de l'après-guerre. Ces fonctions vont s'effacer durant les Trente Glorieuses au profit des activités sportives et culturelles, puis des préoccupations liées au maintien de l'emploi. Beaucoup de commissions logement sont ainsi « dormantes », voire inexistantes, alors qu'elles sont censées être obligatoires dans les entreprises d'au moins 300 salariés. Les CE réinvestissent toutefois ce champ depuis quelques années, notamment à cause de la crise du logement dans les grandes villes. ■

Claire Alet-Ringenbach, Charlotte Chartan,
Perrine Créquy et Naïri Nahapétian

Les prêts et les secours aux salariés

Le comité d'entreprise peut, sous certaines conditions, venir ponctuellement en aide aux salariés sous forme de prêt ou de secours, qui seront dans le principe prélevés sur le budget d'activités sociales et culturelles. De nombreux comités d'entreprise ont une commission « solidarité », qui étudie cette possibilité d'aide, dans le cas de surendettement, par exemple.
Le prêt fait l'objet d'un contrat signé entre le salarié et le CE, où sont stipulés la somme consentie, le montant et la périodicité de remboursement, etc. Il ne doit pas entrer en concurrence directe avec des organismes financiers. Les ressources du CE comme la capacité de remboursement du salarié doivent être prises en compte dans la détermination de la somme prêtée. Et s'ils peuvent demander des intérêts, en pratique, les CE ne le font pas. Dans la mesure où le salarié rembourse, la somme prêtée n'est pas soumise à cotisations. En cas de non-remboursement d'un prêt, la somme due sera assujettie aux cotisations sociales. A moins qu'il soit transformé en secours, si la situation du salarié le justifie. Car le secours est apparenté à un don et exonéré de cotisations sous réserve du respect de critères définis par l'Urssaf afin de ne pas être assimilé à un avantage en nature. Exceptionnel, il doit répondre à une « situation individuellement digne d'intérêt » et être d'un montant modeste. Des termes qui peuvent faire l'objet d'interprétations divergentes... Le dossier de secours à constituer doit être très complet et apporter des preuves des difficultés rencontrées par le salarié aidé.

ZOOM La solidarité du CE de Carbone Lorraine récompensée

En 2005, le CE de Carbone Lorraine a octroyé des prêts à taux zéro à cinq familles, interdites bancaires ou à découvert. *« Souvent, un salarié en difficulté n'ose pas présenter sa situation, par fierté. C'est alors son épouse, à bout de nerfs, qui vient nous trouver car elle ne parvient plus à gérer la vie du foyer. »* Les prêts sont accordés après constitution d'un dossier de secours et vérification de la « bonne volonté » de l'emprunteur. Ils peuvent atteindre 3 000 euros, avec des remboursements échelonnés sur des années pour que la mensualité ne dépasse pas 30 ou 40 euros. Des prêts parfois nécessaires pour l'achat d'une bûche et de quelques cadeaux de Noël.
Le comité d'entreprise a été doublement récompensé lors du Trophée des CE 2005, où il a reçu le premier prix de la gestion des seniors (voir page 79) et le deuxième prix de l'aide individuelle aux salariés et à leurs familles. Le Trophée des CE distingue les actions sociales menées par les CE *« pour que tous les salariés comprennent que le rôle de celui-ci ne se réduit pas à la billetterie »*, explique Myriam Zammit, responsable communication chez ProwebCE, un des organisateurs avec *CEC magazine*, *L'Expansion* et *Les cahiers Lamy du CE*. Innovation en phase critique de l'entreprise, parité hommes-femmes, etc., en tout huit distinctions spécifiques sont attribuées chaque année.

Pour en savoir plus sur le Trophée des CE : myriam.zammit@prowebce.com

La culture

Les activités culturelles des comités d'entreprise peuvent aller de la distribution de places de spectacle à la mise à disposition de salles pour les salariés ayant des projets artistiques, en passant par la création d'une médiathèque.
Favoriser l'accès à la culture et développer ainsi l'éducation populaire au sein de l'entreprise, tel était le projet à l'origine de la création des comités d'entreprise. En permettant à de nombreux salariés de bénéficier d'activités auxquelles ils n'auraient pas eu accès autrement, les CE ont ainsi participé à la démocratisation de la culture en France. Leurs élus ont en effet longtemps cherché à privilégier les projets à caractère social et collectif. L'image d'Epinal des années 50 et 60, où *« les délégués du CE faisaient le tour des ateliers pour amener les ouvriers de Renault au Théâtre national populaire »*, dirigé à l'époque par Jean Vilar, n'est pas un mythe, rappelle Jean-Pierre Burdin, responsable de la culture à la CGT. Beaucoup de comités d'entreprise ont permis à un public plus populaire de connaître le théâtre et ont même participé à l'essor du festival d'Avignon, même si, bien sûr, cela est resté limité aux salariés des grandes entreprises où les syndicats étaient bien implantés.

Une demande plus individualiste

« Le paysage de la culture en entreprise est aujourd'hui très différent de ce qu'il a pu être à l'époque de Jean Vilar », rappelle Jean-Pierre Burdin. Le succès des activités de billetterie, des chèques culture, donnant accès à des visites de musées ou de sites historiques, et autres cartes de réduction pour le cinéma par exemple, financées et distribuées par les CE, répond au besoin des salariés de profiter de leurs loisirs en dehors du cadre de l'entreprise. Selon la Dares, du ministère de l'Emploi, et l'Institut de recherches économiques et sociales [1], plus de la moitié des CE proposent un service de billetterie. Pour bénéficier d'un tarif de groupe dans le cadre de telles activités, il ne faut pas obligatoirement organiser une sortie en groupe, il suffit de négocier avec les organisateurs ou de passer par un inter-CE (voir

[1] Dans *Les comités d'entreprise. Enquête sur les élus, les activités et les moyens*, Ires-Dares, coéd. ministère de l'Emploi et de la Solidarité et éd. de l'Atelier, 1998.

Créer une médiathèque

Pour monter une médiathèque, il faut disposer d'un local adapté, d'un personnel qualifié et des ressources financières nécessaires à l'acquisition d'un fond. Pour constituer ce fond, il faut tenir compte des problèmes de droit. Pour les CD audio, le CE peut éventuellement négocier une remise en fonction du volume des achats, mais pour les livres, un droit de prêt est reversé aux auteurs, ce qui plafonne à 9 % maximum la remise accordée par les fournisseurs. Il est possible cependant de s'adresser au Centre national du livre afin de bénéficier d'aides à l'acquisition d'ouvrages, ainsi que d'aides pour la formation du personnel. Enfin, pour l'acquisition de DVD, deux possibilités s'offrent aux CE : soit acheter des DVD à un intermédiaire qui a négocié un droit de prêt, soit les louer directement à une société spécialisée, avant de les prêter aux salariés.

page 46). L'avantage d'un intermédiaire comme un inter-CE étant de libérer le comité d'entreprise de la gestion des achats, du stockage et de la distribution et de proposer souvent un prix de billetterie plus intéressant (mais attention aux intermédiaires ou aux centrales d'achats qui peuvent être trop gourmands...). Les inter-CE permettent aussi de mutualiser les moyens des CE et d'aider les plus faibles.

Aujourd'hui, l'Urssaf exonère les chèques culture de cotisations sociales, au même titre que les chèques lire. Le Chèque lire, le Chèque culture et le Chèque événement, émis par le groupe Chèque déjeuner, ont ainsi été suivis par des offres similaires par exemple chez Pinault-Printemps-Redoute avec la marque Kadéos, chez Accor avec Accentiv, etc. En 2004, près de 7 millions de titres auraient été distribués à près de 4 millions de salariés [2]. Les places de cinéma quant à elles sont plutôt distribuées sous forme de bons d'échange, généralement revendus aux salariés à un prix allant de 3,50 euros à 5 euros par place.

[2] Voir la brochure de Salons CE *Memento CE. Le manuel de référence de l'élu*, 2006.

ZOOM Pour encourager la lecture

En 1991, une enquête du ministère de la Culture recensait pas moins de 1 272 bibliothèques tenues par les CE dans des entreprises de plus de 500 salariés. En 1992, lors de la signature de la Charte pour le développement de la lecture en entreprise, les cinq confédérations syndicales représentatives se sont engagées à mettre en œuvre les moyens de fournir aux bibliothèques d'entreprise un local adapté, un budget conséquent et du personnel permanent qualifié.

Là aussi, la demande des clients évolue. Dimitri Vartanian, secrétaire adjoint du CE de Siège et Supports Air France à Roissy, rappelle qu'« *on assiste simplement à un glissement progressif de la demande "classique" que représentent les romans vers les guides et les magazines* ». De même, le secteur de la littérature jeunesse est en pleine expansion, alors que les essais en sciences humaines connaissent une désaffection croissante. Du coup, l'inter-CE nantais Acener multiplie les initiatives visant à favoriser la découverte de romans contemporains. Des rencontres avec les auteurs sont organisées, tandis que les CE de Nantes encouragent les échanges entre les lecteurs. La création du prix Inter-CE entend elle aussi donner un coup de pouce à la littérature. En 2005, 19 associations Inter-CE, 260 comités d'entreprise et quelque 3 000 lecteurs-votants ont participé au prix : il a été décerné à *Venise.net*, un polar de Thierry Maugenest qui évoque l'histoire politique de la cité des Doges et la peinture de la Renaissance.

Certains Inter-CE, comme l'Aceb en Bourgogne notamment, proposent quant à eux des services de bibliobus, permettant à des entreprises au budget plus faible de développer le prêt auprès de leurs salariés. Mais les CE ont de plus en plus souvent recours aux chèques lire pour promouvoir la lecture. Complètement exonérés de charges sociales et fiscales, ces chèques donnent accès à toutes les catégories de livres (y compris les abonnements à des magazines).

Organiser un spectacle

Rôle traditionnel du CE : l'organisation d'un spectacle pour les fêtes de fin d'année. Le comité doit pour cela établir un cahier des charges qui indique le nombre de personnes et le type de spectacle. Ensuite, il est conseillé de faire un planning, avec les dates de livraison, de mise en place et de démontage.
Pour le devis, le prestataire doit mentionner l'intégralité des frais annexes, comme les frais de déplacement et d'hébergement ou la sonorisation. Il doit également indiquer si les cotisations sociales sont comprises ou non, ainsi que les droits d'auteur, et surtout les modalités d'assurance en cas d'annulation.

Contrat de cession ou d'engagement

Par ailleurs, le CE a le choix entre un contrat de cession ou d'engagement. Dans le cadre d'un contrat de cession, il est lié à un producteur qui embauche les artistes et règle les charges sociales. La location de la salle reste à la charge du CE, qui doit également vérifier que le producteur possède bien une licence d'entrepreneur de spectacles. Dans le cadre d'un contrat d'engagement, le CE emploie lui-même les artistes. Le contrat doit spécifier le lieu, la date et la durée de la prestation et des répétitions, les modalités de paiement et les sommes que le CE devra verser, y compris le salaire des artistes et les frais de déplacement. La formule évite de multiplier les intermédiaires et limite donc les coûts, mais elle est plus complexe à mettre en œuvre.
Pour régler en une seule fois toutes les charges sociales liées aux embauches d'artistes, les CE peuvent s'adresser au Guichet unique du spectacle occasionnel (Guso).

Contact

- **Guichet unique du spectacle occasionnel :** TSA 20134, 69942 Lyon Cedex 20, tél. : 0810 863 342, site : www.guso.com.fr

Comment contractualiser

La relation du CE avec ses prestataires extérieurs passe par un contrat, qui peut prendre plusieurs formes : bon de commande, facture, etc. Le contrat, quelle que soit sa forme, doit spécifier la raison sociale et l'adresse de chaque partie, le numéro au registre du commerce du fournisseur (pour les agences de voyages notamment, le numéro de licence ou d'agrément), la date et le lieu du contrat, le numéro de contrat, les engagements de l'acheteur et du fournisseur. De même, il doit préciser la description du produit, le prix unitaire, la quantité, le prix total et le taux de TVA, la date de livraison ou de réalisation de la prestation (obligatoire au-delà de 50 euros).
Les conditions de règlement doivent également être spécifiées : le montant de l'acompte ou des arrhes, leur date de règlement ainsi que celle du solde. Attention, la loi distingue les arrhes et les acomptes. Les premières, généralement versées pour l'achat de biens tangibles, autorisent le client à annuler le contrat, mais il perd ses arrhes. L'acompte, plus souvent pratiqué pour des prestations et des services, implique un engagement ferme des deux parties.

Le sport

Le comité d'entreprise *« assure ou contrôle la gestion des activités physiques ou sportives »* dans l'entreprise, stipule la loi du 6 juillet 2000 relative à l'organisation des activités physiques et sportives. Et les CE investissent chaque année environ 0,6 milliard d'euros pour la pratique sportive [1].
Les comités d'entreprise peuvent gérer directement des structures sportives, terrains de football, salles de sport, etc. Mais *« le patrimoine sportif des entreprises se réduit considérablement, du fait d'un manque de moyens pour les entretenir »*, affirme Alain Charrance, président de la Fédération française du sport d'entreprise (FFSE). Aussi, la plupart du temps, les CE confient l'organisation des activités sportives à des associations sportives d'entreprise sur lesquelles ils doivent conserver un contrôle (voir encadré ci-dessous). Aujourd'hui, on compte entre 8 000 et 9 000 associations sportives d'entreprise actives en France, dont 1 000 à 1 200 sont affiliées à la FFSE. Dans la majorité des cas, les CE subventionnent ces associations. Les comités d'entreprise se tournent également vers les collectivités locales pour louer parfois leurs équipements.

Les coupons sport

Il est à noter que tout salarié peut, compte tenu des possibilités de l'entreprise, bénéficier d'un aménagement de son horaire de travail pour la pratique d'un sport. Mais il existe d'autres moyens pour favoriser les pratiques sportives. Notamment les aides financières sous forme de « coupons sport » permettant d'individualiser la pratique. *« De plus, on constate un recul de la compétition au profit du sport-loisir, moins contraignant »*, explique Alain Charrance.
Petit frère du chèque vacances, le coupon sport s'acquiert auprès de l'Agence nationale pour les chèques vacances (ANCV). Il permet de régler les adhé-

[1] Voir la brochure de Salons CE *Memento CE. Le manuel de référence de l'élu*, 2006.

Créer une association sportive d'entreprise

Une association sportive d'entreprise est une association loi 1901 dont la création, comme pour toute association, doit être entérinée par une déclaration à la préfecture.
Une telle structure peut être financièrement soutenue par le CE dont elle dépend ou par l'employeur, ou être indépendante. Ses ressources proviennent notamment des cotisations de ses membres et des recettes des manifestations qu'elle organise. De plus, une association agréée peut demander des subventions auprès de la direction régionale de la jeunesse et des sports. L'employeur peut également apporter un coup de pouce, notamment via des opérations de sponsoring. L'association porte alors les couleurs de l'entreprise.
Les associations sportives peuvent être agréées. Ce titre leur permet d'avoir accès à des aides de l'Etat. L'agrément est octroyé par le préfet, si l'association remplit les conditions fixées par le décret n° 2002-488 du 9 avril 2002 : fonctionnement démocratique et transparent et affiliation à une fédération sportive agréée. Cette affiliation est libre et se fait moyennant une cotisation annuelle. Elle permet aux membres de l'association de bénéficier d'une licence, qui comporte une assurance couvrant les adhérents pendant leur pratique sportive.
Certaines fédérations disposent d'une branche « sport d'entreprise », comme la Fédération française de football, qui permet d'organiser des événements spécifiques aux associations d'entreprise.

sions, licences, cours, etc. sportifs dans 35 000 associations agréées par le ministère de la Jeunesse, des Sports et de la Vie associative et affiliées à l'ANCV. Tous les salariés peuvent en profiter, chaque comité d'entreprise fixant ses règles d'attribution. En 2005, 213 000 coupons sport ont été distribués par 330 structures, dont les trois quarts étaient des comités d'entreprise, pour une valeur de 3,4 millions d'euros.
Par ailleurs, les comités d'entreprise peuvent distribuer des bons d'achat utilisables par les salariés dans des magasins spécialisés dans les articles de sport. Mais ces bons d'achat, contrairement aux coupons sport, peuvent être soumis au paiement des cotisations sociales.

Contacts

- **Fédération française du sport d'entreprise : 60bis av. d'Iéna, 75016 Paris, tél. : 01 56 64 02 10, site :** www.ffse.fr, **courriel :** secretariat@ffse.fr
- **Ministère de la Jeunesse, des Sports et de la Vie associative :** www.jeunesse-sports.gouv.fr

Le tourisme

Dans le cadre de leurs activités sociales et culturelles, les CE facilitent les départs en vacances des salariés, en voyages individuels ou en groupe. En 2002, ils auraient dépensé environ 11 milliards d'euros dans des séjours de vacances. L'activité touristique des CE prend deux formes : soit ils sont propriétaires de biens immobiliers (village de vacances, *mobile homes*...) que les salariés peuvent réserver pour un séjour, soit ils ont un rôle proche de celui d'une agence de voyages et présentent les produits de différents opérateurs à leurs salariés. Ces derniers ont alors accès à des prix inférieurs à ceux du marché et/ou reçoivent une aide financière, notamment sous forme de chèques vacances (voir encadré page 90), souvent attribués selon des critères sociaux.

S'adapter à la demande

Si plusieurs centaines de CE sont toujours propriétaires de biens immobiliers, la pierre a vieilli et ce patrimoine pèse sur les budgets des CE. Il est donc plus fréquent que ces derniers relaient l'offre de séjours de professionnels du tourisme. Ils peuvent simplement proposer les catalogues d'opérateurs avec lesquels ils auront signé une convention. *« Pour les voyages individuels, le salarié fait son choix sur un des catalogues et nous effectuons la réservation »*, explique ainsi Nadine Aguilar, administratrice de l'association Activités sociales et culturelles des salariés de droit privé (Asoc), équivalent du CE à la Caisse des dépôts et consignations. Le salarié peut alors bénéficier de deux types de réduction : le tarif préférentiel négocié par son comité auprès de l'opérateur et/ou une subvention de sa part.
Les CE essaient de s'adapter à l'évolution de la demande des salariés, qui résulte notamment des 35 heures et de la montée des temps partiels, en proposant des séjours plus courts mais plus nombreux. L'Union des comités pour les vacances (Uncovac), qui accompagne des CE dans la mise en œuvre de leurs activités vacances, a ainsi développé depuis 2003 des séjours d'une à cinq nuitées. Il est également possible de préacheter des voyages. Dans ce cas, les CE doivent établir un cahier des charges, éventuellement élaboré à partir d'une petite enquête d'évaluation des attentes des salariés.
La vente de forfaits touristiques est très encadrée par la loi (loi du 13 juillet 1992 et décret du 15 juin 1994). Celle-ci précise qui est autorisé (agence, tour-opérateur ou association) à vendre et à organiser des voyages et des séjours et quelles sont ses responsabilités. Le CE doit vérifier que le voyagiste est bien en possession d'une licence (pour les agents de voyages), d'un agrément (pour les associations), d'une autorisation (pour les organismes locaux de tourisme), d'une habilitation (pour les tour-opérateurs) et d'une assurance responsabilité civile. Le voyagiste doit aussi présenter des garanties financières permettant un éventuel rapatriement, remboursement, etc.

Où s'adresser ?

Pour un voyage organisé, il est plus simple de s'adresser à un tour-opérateur qui conçoit les voyages, du transport à l'hébergement en passant par les excursions et les visites, et qui les commercialise. Il en existe de plusieurs sortes : les généralistes, les spécialistes par pays et les thématiques. L'agence de voyages, de son côté, revend les produits des tour-opérateurs et a un rôle de conseil. Elle permet donc une comparaison entre les différentes offres.
On peut aussi s'adresser aux associations spécialisées dans le tourisme social et solidaire (voir Zoom ci-dessous), en grande majorité regroupées au sein de l'Union nationale des associations de tourisme et de plein air (Unat). Cette dernière compte, parmi ses 56 membres nationaux, des spécialistes du tourisme familial (Renouveau Vacances, Relaisoleil Vacances, VVF Villages, etc.), des séjours sportifs ou linguistiques (UCPA, Clubs alpins, etc.)

ZOOM Le tourisme social et solidaire

Les comités d'entreprise sont des acteurs historiques du tourisme social en France, au sens où ils ont largement contribué à démocratiser les vacances durant les Trente Glorieuses en donnant aux ménages les plus modestes les moyens de partir. Ils ont joué ce rôle grâce à leurs villages de vacances ou en proposant des séjours organisés par des associations spécialisées. Aujourd'hui, ils détiennent de moins en moins d'équipements touristiques et choisissent de plus en plus des voyages proposés par des sociétés commerciales comme le Club Med ou Pierre & Vacances. Avec l'essor global du tourisme dans notre société, le tourisme marchand est en effet devenu de moins en moins coûteux. Cependant, « *du fait des aides qu'ils attribuent pour permettre aux salariés de partir, notamment à travers les chèques vacances, les CE continuent à promouvoir le projet du tourisme social* », rappelle Jean-Marc Mignon, délégué général de l'Union nationale des associations de tourisme et de plein air (Unat). Bien que les chèques profitent en général à des ménages qui auraient les moyens de partir, 35 % des bénéficiaires ne seraient pas partis sans cette aide, estime l'Agence nationale pour les chèques vacances (ANCV).

Le projet du tourisme social reste pourtant d'actualité : « *Une frange importante des salariés ne peut pas partir en vacances, même si elle a plus de temps libre qu'il y a dix ans. On constate en la matière un maintien des inégalités* », souligne Gérard Despierre, de la CFDT. En effet, plus de la moitié des ouvriers ne partent pas systématiquement en vacances chaque année, alors que 87 % des cadres le font [1].

Pour faire face à la concurrence des opérateurs commerciaux, de nombreux acteurs du tourisme social, membres de l'Unat, enrichissent leur offre. Aux classiques séjours en location ou en demi-pension, ils ajoutent des excursions et des activités pour adultes et enfants : stages d'initiation à l'informatique, à la peinture, soins de thalassothérapie, découverte du terroir, etc.

Autre façon de diversifier leur offre, les acteurs du tourisme social sont aujourd'hui très impliqués dans le tourisme solidaire, une forme de voyage qui suppose de faire participer les populations locales du Sud à la gestion de celui-ci, dans un objectif de développement (voir page 120).

[1] Selon l'enquête de l'Insee « Chaque année, quatre Français sur dix ne partent pas en vacances », *Insee Première*, août 2000, accessible sur www.insee.fr

ou des séjours pour jeunes (Jeunesse au plein air, Ligue de l'enseignement, etc.). Ces associations n'ont pas pour objectif le profit, mais l'accès des vacances au plus grand nombre. Elles acceptent les chèques vacances, pratiquent des tarifs accessibles et proposent des animations dans leurs prestations. Le comité d'entreprise peut aussi s'adresser à un inter-CE, qui peut le conseiller.

Deux coordinations importantes

Il est aussi possible d'adhérer à une association spécialisée dans les services aux CE dans le domaine du tourisme. L'Uncovac et l'Association nationale de coordination des activités de vacances-Tourisme et travail (Ancav-TT) sont les deux acteurs principaux en la matière.

L'Ancav-TT, créée en 1985 par la CGT, est un outil de coordination entre 280 CE copropriétaires de 17 villages de vacances. *« Pour permettre l'accès à des vacances de qualité pour tous, nous travaillons avec des CE et les aidons à acquérir et gérer un patrimoine qui puisse accueillir les vacanciers »*, explique Jean-Claude Tufferi, secrétaire de l'Ancav-TT. Par exemple, l'Ancav-TT a impulsé un partenariat entre les CE copropriétaires et l'association de tourisme VAL pour la rénovation d'un village de vacances au Mont-Dore. Les CE adhérent donc à l'association quand ils sont copropriétaires.

Aux côtés de l'association, l'entreprise Touristra gère les 17 villages de vacances, ouverts à tous avec un accès prioritaire aux CE copropriétaires. Professionnel du tourisme, Touristra propose également à tous les publics un catalogue classique de séjours et de locations. Environ 1 500 CE utilisent les services de Touristra chaque année. Par ailleurs, l'Ancav-TT rassemble 30 associations locales. Elles relaient les produits de Touristra, proposent des produits de proximité et gèrent également une Carte loisirs.

L'Uncovac, de son côté, est une association qui réunit 500 comités d'entreprise et assimilés de toutes tailles, ce qui correspond à 2 millions d'ayants droit. Sa vocation : proposer des vacances, essentiellement familiales, *« acces-*

Chèques vacances, mode d'emploi

Pilier des aides au départ en France, le chèque vacances est un titre de paiement d'une valeur de 10 ou 20 euros, financé de 20 % à 80 % par l'employeur, ou tout ou partie par le comité d'entreprise. Il permet de régler des prestations auprès de 135 000 professionnels du tourisme et des loisirs en France, tels que la SNCF, des campings et de nombreuses enseignes indépendantes. Les chèques vacances sont émis par l'Agence nationale pour les chèques vacances (ANCV), un établissement public créé en 1982, qui a deux types de mission : la vente de chèques vacances et des actions sociales menées avec les excédents de son activité marchande.

L'ANCV vend des chèques vacances à environ 17 000 comités d'entreprise. Ceux-ci les redistribuent aux salariés selon des critères sociaux qu'ils ont l'obligation de définir et qui leur permettent de disposer d'exonérations fiscales. Les CE sont cependant libres dans la définition de ces critères, qui peuvent être le salaire, le quotient familial, etc. En 2005, le nombre de « porteurs » de chèques a été de 2,4 millions. En tout, ce sont 7 millions de personnes (les porteurs et leur famille), qui en ont bénéficié. Par ailleurs, l'ANCV attribue des aides financières pour la rénovation d'équipements touristiques à vocation sociale, à condition qu'ils soient ouverts à tout public.

Contact : ANCV, 36 bd Bergson, 95201 Sarcelles Cedex, tél. : 0825 844 344, site : www.ancv.com

sibles à tous ». Elle a été créée en 1967 par des confédérations syndicales, dont la CFDT, des associations de tourisme social et des comités d'entreprise. Lorsqu'un CE adhère à l'Uncovac (pour entre 100 et 200 euros, selon sa taille), il a accès au catalogue *Invac services UES*. Celui-ci propose pour la France des destinations en villages de vacances (pour 70 %) et en résidences détenues par des opérateurs commerciaux comme Odalys (pour 30 %). Le catalogue propose aussi des séjours à l'étranger organisés par des prestataires tels que Marmara. Hors catalogue, l'Uncovac propose une formule « voyager autrement » qui se rapproche du tourisme solidaire : organisés avec des interlocuteurs locaux (en Inde, au Cambodge, en Afrique du Nord, etc.), ces voyages permettent des rencontres avec des associations locales et visent à sensibiliser les clients à la solidarité internationale. L'association a également une mission d'aide au départ et, à ce titre, organise l'opération Tandem solidarité-vacances (voir page 111).
En plus de l'adhésion, les CE ont la possibilité de souscrire à un droit de réservation prioritaire. L'argent ainsi collecté par l'Uncovac permet la rénovation de villages de vacances gérés par des associations de tourisme social. En retour, les CE ont droit à des réservations prioritaires dans des villages de vacances.

ZOOM Les activités destinées aux enfants

Le comité d'entreprise peut favoriser l'accès des enfants de ses salariés aux centres de vacances et de loisirs du mercredi. Si le CE organise lui-même un centre de loisirs, il doit en faire la déclaration deux mois à l'avance à la direction départementale de la jeunesse et des sports. Il peut le faire dans des locaux de l'entreprise mis à sa disposition, dans des bâtiments construits ou loués par lui ou avec le concours d'une association spécialisée.
La plupart du temps, les CE choisissent des séjours en centres de vacances auprès de prestataires extérieurs et les proposent ensuite à leurs salariés : colonies de vacances multi-activités, sportives, à thème (vacances à la ferme, théâtre...), etc. Chaque prestataire est tenu de présenter dans un document son projet pédagogique : principes d'apprentissage, organisation de l'accueil selon les tranches d'âge, etc. Il est important de le consulter avant de faire son choix et de vérifier que l'organisateur possède bien une assurance.
La sécurité est le souci numéro un des parents comme des élus de CE. Des règles précises régissent leur transport : par exemple en car, des possibilités d'évacuation et de secours doivent être prévues dans le véhicule et le conducteur doit être titulaire du permis D et posséder la carte violette. La législation française en matière de centres de vacances est bien fournie : elle est la plus réglementée d'Europe. Par exemple, ce sont des titulaires de brevets d'Etat, et non de simples animateurs, qui doivent encadrer certaines activités sportives comme le tir à l'arc, l'équitation ou les activités de montagne. Il ne faut pas hésiter à se rendre sur place, avant ou pendant les vacances, pour juger de l'organisation. Par ailleurs, des inspecteurs départementaux jeunesse et sport interviennent dans les centres à la suite d'une plainte parentale ou lorsqu'un incident leur est signalé.

Pour aller plus loin : se renseigner auprès des directions régionales de la jeunesse et des sports et de l'Unat.

Enfin, les CE peuvent également s'appuyer sur d'autres relais : les comités départementaux du tourisme (CDT), créés par les conseils généraux, proposent des circuits et informent sur les possibilités de séjours et les événements dans leur département [1] ; en lien avec les CDT, les 60 services loisirs accueil (SLA) sont des centrales de réservation de circuits organisés au niveau des départements [2] ; enfin, les comités régionaux du tourisme (CRT) diffusent également de la documentation [3].
Les voyagistes proposent parfois des « Eductour », c'est-à-dire la découverte sur quelques jours (gratuitement ou à peu de frais) de leurs nouveaux circuits ou produits. Une fois le choix établi, un contrat doit être signé entre le CE et le tour-opérateur, faisant office d'acte d'achat.
Si un comité d'entreprise veut organiser lui-même un voyage ou une excursion, il doit demander un agrément de tourisme à la préfecture. Il est donc plus simple de relayer l'offre d'un professionnel du tourisme, quitte à négocier avec lui des aménagements.

[1] Pour les contacter, voir le site de la Fédération nationale des comités départementaux du tourisme : www.fncdt.net
[2] Pour en savoir plus : www.resinfrance.com
[3] Voir le site de la Fédération nationale des comités régionaux du tourisme : www.fncrt.com

Contacts

- **Ancav-TT :** 263 rue de Paris, case 560, 93515 Montreuil Cedex, tél. : 01 48 18 81 79, site : www.ancavtt.asso.fr, courriel : info@ancavtt.asso.fr
- **Uncovac :** 1bis av. du Maréchal-de-Lattre-de-Tassigny, 94120 Fontenay-sous-Bois, tél. : 01 45 14 19 20, site : www.uncovac.com, courriel : mail@uncovac.com
- **Unat :** 8 rue César-Franck, tél. : 01 47 83 21 73, site : www.unat.asso.fr, courriel : infos@unat.asso.fr
- **Pour aller plus loin :** « Le tourisme autrement », ***Alternatives Economiques pratique***, mars 2005, 9,75 euros (en vente en ligne sur www.alternatives-economiques.fr/site/502.html et en VPC). Un guide qui décrit à la fois les principaux tour-opérateurs sur le marché français en matière de développement durable et qui présente les acteurs alternatifs du tourisme.

Les ventes aux salariés

Le comité d'entreprise peut organiser des ventes à destination des salariés. S'il diffuse un catalogue et centralise les commandes, il n'est pas revendeur, mais se contente de rendre un service aux salariés. Dailleurs, la loi sur le démarchage interdit la mise en dépôt de marchandises auprès d'un comité d'entreprise. En revanche, si le CE achète lui-même des produits pour les revendre, il doit créer une coopérative de consommation.

Une cooopérative de consommation

Cette coopérative, obligatoire dès que l'achat concerne plus de sept consommateurs, doit être déclarée à la préfecture à laquelle il est également nécessaire d'adresser chaque année un rapport d'activité. Le CE désigne au moins la moitié des membres du conseil d'administration de la coopérative, choisis parmi les adhérents, et peut également subventionner celle-ci. Seuls les salariés de l'entreprise et leur foyer, ainsi que les anciens salariés peuvent bénéficier de ces offres d'achat. Ces ventes sont généralement faites à l'occasion des fêtes de fin d'année.
De même, le CE offre souvent des cadeaux aux salariés et à leurs enfants, pour Noël ou à d'autres occasions. Qu'il s'agisse de jouets, de paniers gourmands ou de bons cadeaux, le plafond pour être exonéré des charges sociales est le même : 5 % du plafond mensuel de la Sécurité sociale, soit environ 120 euros en 2006 par bénéficiaire et par événement. Cette somme peut être exceptionnellement dépassée, pour une naissance, un mariage ou une utilisation déterminée, comme la rentrée scolaire.

Bons cadeaux

Les chèques cadeaux représentent 70 % des cadeaux offerts par les entreprises et un chiffre d'affaires de 1,3 milliard d'euros en 2004 en France. L'exonération des charges sociales sur les bons cadeaux est une tolérance suggérée par l'Agence centrale des organismes de Sécurité sociale (Acoss), que chaque Urssaf est libre d'appliquer ou non. Il vaut mieux se renseigner à ce sujet, ainsi que sur les conditions de l'exonération. En général, le chèque doit être inférieur au plafond en vigueur et son utilisation doit être spécifiée sur le chèque (librairie, sport...). L'Urssaf reconnaît dix événements lors desquels elle autorise la distribution de chèques cadeaux : mariage, naissance, fête des mères, fête des pères, rentrée scolaire des enfants jusqu'à 19 ans, Noël des salariés et des enfants jusqu'à 16 ans...

La restauration

La gestion des repas entre dans les attributions du comité d'entreprise au titre de ses activités sociales et culturelles. Trois options se présentent à lui : participer aux frais de repas des salariés, par exemple en versant une « prime de repas » ou en contribuant aux frais de cantine, financer des titres restaurant, ou intervenir dans la gestion d'un restaurant d'entreprise.
En l'absence de restaurant d'entreprise, les titres restaurant permettent aux salariés de consommer un repas à l'extérieur à des conditions avantageuses. Tous ceux qui justifient d'un repas compris dans leurs horaires de travail peuvent en bénéficier, y compris les intérimaires, les salariés en contrat à durée déterminée et ceux à temps partiel.

Les titres restaurant

Le mécanisme est le suivant : les titres sont achetés auprès d'une société émettrice contre leur valeur nominale avec, le cas échéant, une commission, puis revendus aux salariés à un prix inférieur au prix d'achat. La différence peut être prise en charge par l'employeur ou conjointement avec le CE. Le CE peut d'ailleurs en assumer seul le financement. En effet, bien que l'ordonnance du 27 septembre 1967 réglementant le régime des titres restaurant ne le prévoie pas expressément, rien n'empêche en principe le comité d'entreprise d'acheter des titres en puisant dans son budget activités sociales et culturelles. Dans tous les cas de figure – financement patronal, conjoint ou par le CE seul –, la participation ne peut être exonérée de charges sociales qu'à deux conditions : elle doit être comprise entre 50 % et 60 %

ZOOM Chèque déjeuner

Coleader du marché avec Sodexho, avec plus de 500 000 entreprises clientes et environ 1 million d'utilisateurs, Chèque déjeuner se distingue des autres émetteurs de titres restaurant en étant une société coopérative ouvrière de production (Scop). Mais l'entreprise a été créée sous la forme d'une coopérative de consommation en 1964 par Georges Rino (syndicaliste, puis futur fondateur de la Mutuelle générale des Scop) avec l'aide de centrales syndicales. Elle s'est transformée en Scop en 1972. C'est aujourd'hui l'une des deux Scop les plus importantes par leur effectif, supérieur à 1 000 salariés depuis 2005.
Son métier d'origine (et toujours son activité principale) est l'émission et la vente aux entreprises de titres restaurant, destinés aux salariés et financés entre 50 % et 60 % par l'employeur. Sur le même modèle, le groupe a successivement développé depuis 1993 le Chèque domicile, financé en partie par les comités d'entreprise, le Chèque lire, le Chèque culture, le Chèque Cadhoc et plus récemment Domicours, filiale créée en 2003 avec la Macif, la Mutualité française et la Matmut dans le secteur du soutien scolaire à domicile. Le groupe exporte maintenant ce modèle dans huit pays européens (Italie, Espagne, Hongrie, Slovaquie, Pologne...), où il a ouvert une trentaine de filiales qui n'ont cependant pas toutes le statut coopératif.

de la valeur nominale du titre et ne pas excéder 4,60 euros (situation au 1er mai 2006).
Le marché des titres restaurant a connu ces dernières années une progression importante. Le nombre de titres émis est passé de 340 millions à 490 millions en dix ans, et le chiffre d'affaires du secteur (3 milliards d'euros) a progressé de 87 % [1]. Quatre entreprises se partagent le marché : Chèque déjeuner, Natexis intertitres, Sodexho et Accor services. Pratiquement tous ces prestataires proposent de passer des commandes en ligne et de personnaliser les titres en fonction des services. Certains proposent une simulation de budget en ligne.

Le restaurant d'entreprise... en crise

Le CE peut aussi décider de mettre en place un restaurant d'entreprise, à charge pour lui de trouver un local et de l'aménager. Si une cantine existe, le CE peut décider d'en assumer la gestion lui-même ou de la concéder à la direction, avec dans ce cas, un simple droit de contrôle. S'il opte pour la première solution, il peut choisir la gestion directe : il assume alors tout, de l'approvisionnement à la gestion du personnel en passant par la gestion comptable. Il peut aussi confier ces tâches à un prestataire qui s'occupera de la fourniture et/ou de la confection des repas, de l'entretien des locaux, de la gestion comptable, etc. Compte tenu des investissements nécessaires, des exigences de réglementation en matière d'hygiène et des diverses contraintes de gestion, cette deuxième solution est retenue dans 80 % des cas. Le CE doit alors veiller à définir précisément les besoins de l'entreprise dans un cahier des charges avant de sélectionner le prestataire par appel d'offres et établir un contrat très précis.
A l'heure actuelle, en France, 28 000 restaurants d'entreprise distribuent environ 580 millions de repas par an, et 66 % des repas pris hors foyer continuent de l'être à la bonne vieille cantine, pour 5 euros en moyenne [2]. Mais la fréquentation est en baisse constante depuis 2000. Pour enrayer cette désaffection, les sociétés de la restauration et les CE parient sur la qualité. *« On ne sert que de la viande labellisée et du café issu du commerce équitable »*, explique par exemple Pascal Dagneau, chargé par le CE de la gestion du restaurant de Snecma-Villaroche, en Seine-et-Marne. Le repas devient l'occasion de sensibiliser les salariés à une bonne hygiène alimentaire et à la solidarité Nord-Sud (voir également page 118). *« La gestion directe représente*

[1] Voir le *Guide CE* des Editions législatives en ligne sur www.editions-legislatives.fr
[2] Enquête Ifop pour Eurest France et le magazine *Néorestauration*, chiffres cités dans le n° 104 de *CEC magazine*, novembre 2005.

Les obligations de l'employeur en matière de restauration

Sauf dispositions conventionnelles contraires, les obligations de l'employeur en matière de restauration des salariés sont relativement limitées. Si moins de 25 salariés désirent prendre leur repas sur leur lieu de travail, il doit leur fournir un emplacement distinct de ce lieu et répondant à de bonnes conditions d'hygiène et de sécurité. Lorsque les salariés sont au moins 25, il doit prévoir un local de restauration aménagé après avis du comité d'hygiène, de sécurité et des conditions de travail (CHSCT), s'il existe. Mais rien ne l'oblige à créer un restaurant d'entreprise ou à participer aux frais de repas des salariés. Le rôle du CE est donc souvent très important dans ce domaine.

un gros travail, mais c'est un choix politique », souligne Pascal Dagneau. Une position que partage la CGT, qui a organisé les premières Assises de la restauration sociale et solidaire le 1er mars 2006. Elles ont donné lieu à la rédaction d'une charte CGT de la restauration collective et solidaire [3].

Pause-café

Enfin, les distributeurs de boissons et d'aliments sont aussi un moyen d'offrir des services de restauration aux salariés. Deux possibilités là encore pour un CE qui souhaite installer un distributeur : l'achat ou la location. La plupart optent pour la location, qui permet de déléguer la maintenance, l'approvisionnement et la récupération des recettes à un gestionnaire qui met le distributeur en dépôt dans l'entreprise.

Pour faire le bon choix parmi les 1 500 prestataires du marché, il faut commencer par cerner aussi précisément que possible les besoins des salariés : nombre d'utilisateurs, type de produits souhaités, chiffre moyen de consommations par jour. Ces informations en main, le CE peut dresser une liste de gestionnaires potentiels en s'aidant de l'annuaire des prestataires de la distribution automatique, établi par la Chambre syndicale nationale de vente et services automatiques (Navsa), et confronter les offres.

Reste ensuite à définir les termes du contrat : quantité et dénomination des produits, modalités d'entretien, possibilité de réévaluation des prix et des quantités en cours d'exercice, conditions de résiliation, durée du contrat. Si la plupart des prestataires proposent des contrats de trois à cinq ans, qui engagent donc le CE pour une période assez longue, rien n'empêche de négocier une durée plus réduite, d'un an par exemple, avec tacite reconduction. Les normes de sécurité et d'hygiène doivent impérativement être respectées et le distributeur doit être accessible aux handicapés. Pour un gage de tranquillité supplémentaire, le CE peut faire appel à un prestataire bénéficiant de la certification ISO ou Qualicert, qui apportent des garanties en matière de délai d'intervention, de respect des normes d'hygiène et de transparence des contrats.

[3] Pour en savoir plus, voir le cahier spécial dans le numéro de mars 2006 de *NVO Espace élus*.

Contacts

- **Chèque déjeuner :** 1 allée des Pierres-Mayettes, Parc des Barbanniers, BP 33, 92234 Genevilliers Cedex, tél. : 01 41 85 05 05, site : www.cheque-dejeuner.com, courriel : info@chequedejeuner.fr
- **Natexis intertitres (Chèque de table) :** 4 rue de la Tuilerie, BP 13254, 31132 Balma Cedex, tél. : 05 61 61 10 40, site : www.intertitres.natexis.fr
- **Sodexho :** 1 place de la Pyramide, Tour Atlantique, 92911 La Défense Cedex, tél. : 01 41 25 26 00, site : www.sodexho-ccs.com, courriel : info@sodexho-ccs.com
- **Accor services (Ticket restaurant) :** 72 rue Gabriel-Péri, 92127 Montrouge Cedex, tél. : 01 57 63 63 00, site : www.ticketrestaurant.fr
- **Navsa :** 37bis rue du Général-Leclerc, 92442 Issy-les-Moulineaux Cedex, tél. : 01 47 36 00 09, site : www.navsa.fr

Les services aux personnes

L'entreprise, via son CE ou directement, peut verser une aide financière visant à soutenir les services aux personnes et aux familles dans ou hors de celle-ci. Selon la nature des activités financées, cette aide peut bénéficier d'exonérations fiscales. Attention, elle n'entre pas juridiquement dans le cadre des activités sociales et culturelles attribuées au CE.
Le montant maximal de l'aide financière ne supportant pas de charges sociales est fixé à 1 830 euros par année civile et par bénéficiaire. Un arrêté annuel fixant ce montant, il change donc tous les ans. Dans la limite de ce montant, cette aide est exonérée d'impôt sur le revenu pour le salarié. L'entreprise versant

ZOOM Développer des emplois professionnels

Entretien avec Pascal Dorival, directeur de Chèque domicile.

Chèque domicile a été créé en 1996. En quoi a-t-il paru opportun de proposer des chèques services aux comités d'entreprise à ce moment-là ?
Cela s'explique par la création du titre emploi service (TES), en septembre 1996. Auparavant, l'Association pour le développement des chèques services, rassemblant notamment la Mutualité française, l'Uniopss (Union nationale interfédérale des œuvres et organismes privés sanitaires et sociaux) et des organisations syndicales, avait commencé à réfléchir sur ses services, pour voir comment on pouvait développer des emplois professionnels à travers le réseau des associations, afin de limiter l'essor des emplois directs dans ce domaine. Chèque déjeuner a déposé la marque Chèque domicile avant la loi de 1996, dont le décret précisait que les émetteurs du titre seraient Chèque domicile, Accor, Sodexho et des banques, et que les chèques relevaient de la compétence des CE.
Chèque domicile réunit aujourd'hui dans son actionnariat la coopérative Chèque déjeuner, les cinq confédérations syndicales dites représentatives, des organisations de l'économie sociale et solidaire et des banques. Les structures représentatives des associations prestataires (UNA, ADMR, Coorace, Uniopss, etc.) sont parmi les actionnaires et ont 4 postes sur 18 au conseil de surveillance.
L'idée au départ de la création de Chèque domicile est la suivante : les services à la personne vont connaître un essor conséquent dans les années à venir, il est important que la réponse à ces besoins soit une réponse de l'économie sociale, à la fois professionnelle et éthique.
La moitié des chèques emploi service universel (Cesu) que nous distribuons vont à l'aide aux personnes âgées. Si l'on prend l'autre moitié, 60 % correspondent à des travaux de repassage et de ménage, et le reste à d'autres services comme le jardinage ou le soutien scolaire. Pratiquement toute l'offre, sauf pour le soutien scolaire, est assurée par le monde associatif.

Que va changer pour vous la création du chèque emploi service universel ? Que pensez-vous de sa création et de la loi ?
Le titre emploi service a toujours été critiqué par nos concurrents, Accor et Sodexho, qui trouvaient qu'il ne permettait pas au secteur de se développer suffisamment. Une ordonnance promulguée en 2004 a permis l'élargissement des services pour lesquels il pouvait être utilisé, à la garde d'enfant par exemple, et a prévu, dans les

l'aide bénéficie elle aussi d'exonérations fiscales (sous forme d'un crédit d'impôt de 25 % du montant de l'aide). Ce montant recouvre l'ensemble des aides financières que le CE est susceptible de verser à un salarié au titre des services aux personnes au sein de l'entreprise ou hors de l'entreprise.
Ce financement peut être géré par le CE seul, par l'entreprise seule ou par les deux conjointement. La gestion de l'aide financière de l'entreprise fait l'objet d'une consultation préalable du CE et, ensuite, d'une procédure d'évaluation associant ce dernier. Le comité d'entreprise doit établir chaque année un état récapitulatif des aides versées aux salariés. Il doit aussi transmettre à l'entreprise dans les dix premiers jours de janvier l'identité des bénéficiaires de l'aide et le montant qui leur a été versé à ce titre, charge à l'employeur de communiquer au bénéficiaire, avant le 1er février, une attestation mentionnant

---

entreprises, de confier un budget spécifique, indépendant de celui des activités sociales et culturelles, aux CE pour ces services. Cette ordonnance est restée sans effet, car la loi Borloo en a repris une partie, élargissant notamment l'usage du Cesu à la garde d'enfant. Si elle a repris l'idée d'un budget spécifique, la loi n'a pas jugé utile qu'il fasse l'objet d'une négociation entre le CE et l'entreprise.
Par ailleurs, la loi Borloo ouvre la possibilité d'avoir recours, grâce à ces chèques, non seulement à des services professionnalisés, mais aussi à l'emploi direct. Accor et Sodexho avaient fait fortement pression en ce sens. Nous n'y étions pas favorables. De même, cela ne nous paraît pas une bonne chose que le CE et la direction des ressources humaines soient en concurrence pour la distribution des Cesu, comme c'est désormais le cas. Parce que le Cesu peut permettre de mieux concilier vie familiale et vie professionnelle, il doit faire l'objet d'un consensus négocié.

Et les conditions de travail des salariés employés dans les activités auxquelles donnent accès vos chèques ?
Dans le domaine de l'emploi à domicile, il existe une convention collective dont personne ne contrôle l'application, l'inspection du travail n'étant pas compétente au domicile des personnes. D'autre part, les employés de maison, par exemple, n'ont pas toujours conscience de leurs droits. Jonglant entre dix employeurs, ils ne savent pas forcément qu'ils ont droit à des indemnités de licenciement. Cette situation peut être renforcée par le Cesu, en donnant l'impression aux ménages employeurs qu'ils sont en règle simplement en rémunérant leurs aides à domicile par ce biais. La bonne application du droit dépend de la seule bonne volonté de l'employeur. Alors que dans le mode prestataire, c'est différent : les conventions collectives s'appliquent, les délégués y veillent, et l'inspection du travail est compétente.
Il reste que les services à domicile entraînent de nombreuses contraintes : dispersion des lieux de travail, amplitude horaire, faible salaire. Mais la solvabilisation de la demande, entraînée malgré ses défauts par le Cesu, devrait permettre à la fois aux professionnels de mieux réguler leurs horaires et de développer de véritables parcours professionnels, avec des possibilités d'évolution, facilitées par la validation des acquis de l'expérience.
Par ailleurs, l'accord de branche de 2002, qui a été étendu en 2005, inclut désormais le temps de transport dans le temps de travail. Ce type de mesure implique une rationalisation économique de ces services, y compris dans le monde associatif.

Propos recueillis par N. N.

le montant total de l'aide versée et précisant son caractère non imposable.
L'aide financière versée par le comité d'entreprise peut bénéficier d'exonérations fiscales seulement pour les activités suivantes : les services d'aide aux personnes sur le lieu de travail (crèche, par exemple) ; les assistantes maternelles agréées, les établissements tels que crèches, haltes-garderies, jardins d'enfants, garderies périscolaires ; les activités de services aux personnes telles que listées par l'article D 129-35 du code du travail. Celles-ci recouvrent cependant une gamme très large : travaux ménagers, jardinage, garde d'enfant, soutien scolaire, assistance aux personnes âgées, assistance aux personnes handicapées, aide à la mobilité de personnes ayant des difficultés de déplacement, livraison de courses à domicile, assistance informatique à domicile, etc.

Le chèque emploi service universel

L'aide financière de l'entreprise peut désormais être versée sous forme de chèque emploi service universel (Cesu), qui s'est substitué au titre emploi service depuis la loi Borloo sur le développement des services à la personne en 2005. Le Cesu peut être financé, en tout ou partie, par les CE au bénéfice des salariés. Il comporte alors une valeur faciale et est nominatif (le nom de la personne bénéficiaire est inscrit). Il peut être distribué par des CE, des entreprises ou des institutions comme les mutuelles. Par ailleurs, la loi ouvre la possibilité d'avoir recours, grâce à ces chèques, non seulement à des services professionnalisés, mais aussi à l'emploi direct.
Cette législation peut être critiquée au sens où elle contribuerait à accentuer les inégalités au sein du monde du travail, entre les usagers de ces services, des salariés qui bénéficient d'un contrat relativement sûr et qui se voient ainsi reconnaître des avantages et des aides (afin qu'ils soient encore plus présents et plus productifs au travail), et ceux qui travaillent dans ces services, dont le statut reste précaire. Face à cela, le CE peut choisir de réserver l'utilisation de son aide financière à certaines catégories de services (voir aussi page 115). Plus largement, il est nécessaire, comme l'explique Pascal Dorival (voir Zoom page 98), de réfléchir aussi à la professionnalisation de ces emplois, qui répondent à une vraie demande sociale.

Un service hors domicile : la crèche

Outre les activités à domicile, l'aide financière que le CE verse à ses salariés peut aussi être utilisée pour des services proposés au sein de l'entreprise. Parmi ceux-ci, on retrouve les cantines, les jardins ouvriers, les colonies de vacances et les crèches.
S'il souhaite être gestionnaire d'une crèche, le CE peut prétendre aux subventions de fonctionnement de l'Etat, des caisses d'allocations familiales et des collectivités locales. Elles sont conditionnées au respect du barème conventionnel des participations familiales. Il peut s'agir d'aides à l'investissement, de subventions d'exploitation ou de contrats « enfance entreprise » (qui complètent les subventions d'exploitation et permettent de couvrir au moins 50 % des dépenses de fonctionnement liées à la création de nouvelles places d'accueil).
Le CE peut aussi participer au financement de lits dans une crèche locale en échange de réservations ou attribuer des primes de crèche aux membres du personnel.

A retourner à *Alternatives Economiques*, Abonnements, 12 rue du Cap-Vert, 21800 Quétigny

❑ Je commande le(s) numéro(s) suivant(s) :

Titre	Prix (port inclus)
❑ L'utilité sociale – HSP n° 11	9,75 €
❑ Le tourisme autrement – HSP n° 18	9,75 €
❑ Les initiatives citoyennes en Europe - HSP n° 19	9,75 €
❑ L'essentiel de l'économie - HSP n° 21	8,25 €
❑ L'économie sociale de A à Z - HSP n° 22	10,25 €
❑ Les métiers du tertiaire - HSP n° 23	10,25 €
Total dû	.... €

Ci-joint mon règlement par :

❑ chèque à l'ordre d'*Alternatives Economiques*

❑ carte bancaire expire fin ⎣⎦ / ⎣⎦

N° ⎣ ⎦ ⎣ ⎦ ⎣ ⎦ ⎣ ⎦

Indiquez les 3 derniers chiffres au dos de votre carte : ⎣ ⎦

Date et signature :

Nom, prénom : ....

Adresse : ....

Code postal : .... Ville : ....

Pays : .... Courriel : ....

Commande par téléphone au 03 80 48 10 40 (règlement par CB)
et en ligne sur www.alternatives-economiques.fr

Offre valable jusqu'au 31 décembre 2006 et dans la limite des stocks disponibles.

VGP24

Le logement

Le logement pour les comités d'entreprise serait-il à l'image de la Belle au bois dormant ? En sommeil... *« Il y a beaucoup de choses à faire. Les CE, dans leur grande majorité, ne se préoccupent pas beaucoup de cette question. En grande partie parce qu'ils ignorent leur rôle et ont dû se préoccuper à partir des années 70 du maintien de l'emploi »*, estime Christian Sciboz, consultant juridique chez Forma CE. Pourtant, les enjeux sont importants, notamment avec la multiplication des contrats précaires et la situation des jeunes sur le marché du travail.

Le rôle du 1 %

L'action de l'entreprise passe par le « 1 % logement », en fait limité à 0,45 % de la masse salariale brute annuelle. C'est une obligation pour les entreprises d'au moins 10 salariés. 8/9e sont affectés à des prêts directs ou au versement à des organismes collecteurs ; le 9e restant est quant à lui destiné au financement des logements des travailleurs immigrés.
Ces sommes peuvent être consacrées à l'aide à la construction de logements sociaux, à la réservation de logements via des organismes collecteurs ou, directement, à la réhabilitation du patrimoine immobilier de l'entreprise destiné à être loué aux salariés, ceci de façon à leur attribuer un logement à loyer modéré. Le 1 % logement peut aussi servir, directement ou non, à l'octroi de prêts à taux réduit, pour l'achat, la construction ou la rénovation de la résidence principale. Il peut également s'agir d'aides à la mobilité du personnel qui a bénéficié d'une mutation, d'une aide au logement des cadres, etc., des thèmes qui intéressent particulièrement l'employeur.

Information, suivi et contrôle

Le rôle du CE sur le logement consiste à informer les salariés comme la direction, les premiers de leurs droits, les seconds des besoins. Il explique aux salariés ce qu'est le 1 % logement, il peut les informer sur les offres (prix, surface, transports...), il peut aussi être un lieu de proposition pour son affectation. Il peut être aidé par une commission d'information et d'aide au logement, obligatoire dans les entreprises d'au moins 300 salariés.
Mais sauf accord dérogatoire, *« les entreprises sont les interlocuteurs des salariés pour le dépôt de leurs demandes de logement »*, note Nicole Le Flécher, administratrice mandatée CFDT de l'organisme collecteur Astria. *« Un des enjeux pour les commissions logement est de négocier avec l'employeur les critères pour l'acceptation des demandes, notamment sur l'ancienneté »*, poursuit-elle.
Le comité assure un suivi et un contrôle de l'affectation de la contribution patronale au 1 % logement. Il doit par exemple connaître les catégories de salariés bénéficiaires, le nombre de logements proposés, la ventilation des sommes versées en fonction des organismes collecteurs, etc.

Les organismes collecteurs

Les organismes habilités à recevoir les cotisations sont les comités interprofessionnels du logement (CIL), ainsi que les chambres de commerce et d'industrie (CCI). Les grandes entreprises cotisent souvent à plusieurs organismes. 111 CIL sont répartis sur l'ensemble du territoire, DOM inclus, ainsi que 21 CCI. Ils sont regroupés au sein de l'Union d'économie sociale pour le logement (www.uesl.fr).

Ces organismes travaillent avec les entreprises sur les besoins des salariés et avec les constructeurs. Ils offrent des services qui vont de la location de logements aux aides loca-pass (avance de la caution et garantie vis-à-vis du bailleur), en passant par le pass-travaux, etc.

Le CE doit être vigilant sur l'offre proposée par ces organismes, notamment sur le parc disponible, sa localisation et le montant des loyers. Il doit être informé et surtout informer, alors que *« la majorité des salariés ignorent en grande partie leurs droits »*, estime Nicole Le Flécher.

ZOOM Informer les salariés

A la Société générale, nous avons surtout une fonction d'information », explique Martine Bertellin. Elue CFDT, elle a pris fin 2005 le poste de présidente de la sous-commission [1] logement du comité central de l'unité économique et sociale (CCUES), forme sous laquelle est organisée cette banque. Et elle regrette de ne pas maîtriser davantage le système : *« D'autres CE ont la gestion complète de l'activité »*, dit-elle. Ainsi, ce sont eux qui, par exemple, font la réservation des logements.

Par ailleurs, Martine Bertellin regrette de ne pas être en contact avec les comités interprofessionnels du logement (CIL) : *« A la direction du personnel, cinq personnes s'en occupent. Les demandes des cadres sont également gérées à ce niveau. »*

En fait, la sous-commission centralise les demandes des salariés provenant des agences et des services centraux ; en son sein, une autre sous-commission Paris gère les demandes spécifiques à la région. Toutes sont ensuite transmises pour informatisation au service logement de la direction des ressources humaines (DRH). Une permanente administrative rattachée à la sous-commission met à jour la base de données et fait le lien entre les salariés, la direction et les membres de la sous-commission. Lors d'une réunion mensuelle, cette dernière propose les demandes collectées en fonction de leur adéquation avec les offres de logement faites par les CIL à l'employeur : elle propose des visites de logements et, ensuite, le service logement de la DRH met les salariés en relation avec les CIL auprès desquels elle cotise. *« Ils sont sept sur Paris et la région,* note Martine Bertellin. *Mais nous manquons fortement d'offres par rapport à la demande, surtout en Ile-de-France. »*

En termes de contrôle et de suivi, la sous-commission reçoit deux fois par an l'état des lieux des attributions de logements, pour les autres prestations liées au 1 % comme le loca-pass ou le pass-travaux, elle a accès chaque année aux chiffres globaux (par exemple, elle sait combien de loca-pass sont attribués par année ainsi que les montants que cela représente).

[1] Il s'agit ici d'un fonctionnement atypique mis en place suite à un accord dérogatoire.

Les retraites

Tous les salariés du secteur privé cotisent pour la retraite de base de la Sécurité sociale ; ils le font également de façon obligatoire pour une retraite complémentaire, à l'Arrco (non-cadres) ou l'Agirc (cadres). Un troisième niveau de retraite est susceptible de s'y ajouter, les comités d'entreprise étant consultés lors de sa mise en place. Ils peuvent participer au financement des cotisations salariales pour ce troisième « étage ». En tout cas, l'Urssaf le prévoit. Mais cette participation est en pratique très marginale...

Le Perco

Ce dernier niveau peut prendre plusieurs formes, soit par répartition [1] (c'est le cas de la retraite dite surcomplémentaire), soit par capitalisation [2] (c'est le cas de la retraite dite supplémentaire ou encore du plan d'épargne pour la retraite collectif, Perco).
Contrairement aux deux premières formes de retraite, pour lesquelles l'adhésion est obligatoire, le Perco, rendu possible pour les salariés du privé par la loi sur les retraites de 2003, est une épargne salariale à laquelle tous les salariés (une ancienneté ne pouvant excéder trois mois pouvant être requise) adhérent s'ils le souhaitent. Il est composé d'au moins trois fonds communs de placement d'entreprise présentant des profils différents (obligataires, monétaires, par actions...). Il peut s'ajouter à une supplémentaire ou à une surcomplémentaire existante.

[1] Le terme de répartition désigne la façon dont est partagé le revenu national, dans un objectif de redistribution. Dans le cadre des retraites, ce sont les actifs qui payent pour les retraités. C'est le principe de la solidarité intergénérations.
[2] Le terme de capitalisation désigne le fait que les intérêts d'un placement ne sont pas versés, mais incorporés à la créance, augmentant celle-ci d'autant et engendrant à leur tour des intérêts. La retraite par capitalisation fonctionne sur ce mécanisme.

ZOOM Un plan épargne pour la retraite collectif chez Sercel

Les délégués syndicaux et la direction de Sercel SA, entité française de développement et de production de matériels de prospection pétrolière du groupe Sercel, ont signé en octobre 2005 un accord sur la mise en place d'un plan d'épargne pour la retraite collectif (Perco). *« C'était le bon moment, car l'entreprise affiche de bons résultats à l'heure actuelle »*, estime Michel Gautier, délégué syndical CFDT. Les quelque 650 salariés des différents sites de Sercel SA peuvent ainsi y adhérer s'ils le souhaitent.
« Le gros de la négociation a concerné l'abondement de l'entreprise. Nous voulions soutenir les petits salaires, sans pour autant que cela se substitue aux augmentations de salaires, car c'est sur ces derniers que seront calculées les retraites de base et complémentaire », explique Michel Gautier. Le niveau d'abondement tel qu'il a été défini est fixé pour trois ans et susceptible d'être modifié en fonction de la santé économique de l'entreprise. Il est pour cette période composé de quatre tranches : pour un versement de 1 à 240 euros, l'entreprise rajoute 125 % ; de 241 à 640 euros, c'est 50 % ; puis 25 % de 641 à 2 040 euros ; et enfin 12,5 % de 2 041 à 4 040 euros. Trois périodes pour les versements ont été fixées : avril, juillet et décembre. Au départ en retraite, l'épargne peut être sortie intégralement en capital (défiscalisé), en rente viagère (fiscalisée) ou sous forme mixte.

Les salariés peuvent y déposer les sommes dues au titre de la participation, les primes d'intéressement et des versements volontaires. L'entreprise peut quant à elle effectuer des versements complémentaires appelés abondements. C'est sur ces derniers que portera surtout la négociation de l'accord entre l'employeur et les représentants syndicaux, qui a lieu avant sa mise en place (voir Zoom) : ces versements de l'employeur peuvent être proportionnels aux sommes versées, aux salaires, forfaitaires, etc.

Un déblocage au départ en retraite

Le déblocage de cette épargne se fera sous forme de rente viagère ou en capital si l'accord le permet (souvent, il s'agit d'un mixte), et uniquement lors du départ en retraite du salarié. Certaines situations liées à un « accident de la vie » autorisent un déblocage anticipé. Le Perco ne peut être mis en place que s'il existe un plan d'épargne entreprise (PEE) ou d'un plan interentreprises (PEI) [3], d'une durée plus courte. Trois types d'organismes peuvent gérer les retraites d'entreprise : les sociétés d'assurances et les établissements bancaires, les instituts de prévoyance et les mutuelles.

Patrick Delicourt, responsable protection sociale à la CFDT, reste prudent sur les systèmes de retraite par capitalisation, même s'il considère les investissements au titre d'un Perco ou d'une retraite supplémentaire relativement sûrs moyennant une gestion sérieuse et prudente sur le long terme : *« Il ne faut pas abandonner notre système par répartition, c'est une question de valeurs et de solidarité intergénérations. »* Quant au développement des Perco, il est encore tôt pour se faire une idée. *« Dans les PME, on passe plus par des primes que par la mise en place de systèmes de retraite supplémentaire »*, note-t-il.

[3] Voir à ce sujet page 74.

Le comité central d'entreprise a été consulté et a donné un avis favorable. *« Nous avons travaillé ensemble tout au long du travail de négociation »*, note Michel Gautier. Quant au choix de l'organisme, un cahier des charges a été établi et un appel d'offres lancé. C'est un institut de prévoyance, Inter Expansion, qui a été retenu *« pour la performance de ses fonds, sa connaissance des questions relatives à la retraite complémentaire [1] et pour son support technique d'information »*, explique le délégué syndical.

Le plan d'épargne entreprise (PEE) préexistant, auparavant géré par le Crédit du Nord, a été transféré chez Inter Expansion. Quatre fonds ont été choisis, un monétaire, un obligataire, un par actions et un fonds éthique par actions classé solidaire. Ils sont aussi valables pour le PEE.

Le plan est mis en place actuellement. *« Nous avons dans notre accord institué une commission de suivi interne à Sercel, regroupant les salariés élus aux conseils de surveillance des fonds, les parties signataires de l'accord – syndicats et direction – et un représentant d'Inter Expansion. »* Un groupe qui aura pour but de faire le point sur le Perco, cerner les difficultés et ainsi « éclairer » les membres des conseils de surveillance qui, eux, auront un pouvoir décisionnaire lors des assemblées générales annuelles.

[1] Inter Expansion est une société paritaire d'épargne salariale, filiale d'Ionis. Elle gère aussi, au travers d'Abelio, la retraite complémentaire Arrco des salariés de Sercel.

Les CE et la mutuelle

Participer à la mise en place d'une assurance complémentaire santé, ce que l'on appelle couramment une « mutuelle », au sein de l'entreprise et contribuer éventuellement au paiement des cotisations ressort de l'activité sociale du comité d'entreprise.

Contrat obligatoire ou facultatif

Dans le cadre de l'entreprise, deux types de contrat sont possibles : obligatoire ou facultatif. Dans le premier cas, tous les salariés sont couverts et les prestations sont uniformes. Cette option ne peut résulter que d'un accord collectif entre l'employeur et les partenaires sociaux, ou d'un référendum à l'initiative de l'employeur ou, dernière possibilité, d'une décision unilatérale du chef d'entreprise. Mais dans cette hypothèse, la direction de l'entreprise accepte que certains employés n'y adhèrent pas (l'adhésion s'impose en revanche aux nouveaux salariés dans leur contrat de travail). Dans les contrats collectifs étendus à tous, l'employeur prend en charge une partie de la cotisation (généralement de 30 % à 50 %, parfois plus). Quant aux cotisations salariales, elles sont déductibles du revenu imposable, et peuvent être calculées de manière plus ou moins solidaire.

Le comité doit être informé et consulté préalablement à la mise en place, la modification ou la remise en cause du régime. Il peut également faire des propositions et l'employeur est tenu de porter à sa connaissance le compte de résultat annuel communiqué par l'assureur. Ses élus peuvent siéger dans la commission de suivi du régime lorsqu'elle existe. Dans le cadre d'un régime institué par un accord collectif, le CE ne peut en récupérer la gestion ; mais pour les deux autres formes, par référendum ou par décision unilatérale, *« le doute est permis »*, note Maurice Cohen [1].

Dans le cas d'une mutuelle facultative, le comité d'entreprise peut la proposer, en liaison avec l'employeur ou non. Mais n'y adhèrent que les salariés qui le souhaitent. Ce contrat entre dans le cadre des activités sociales et culturelles du comité d'entreprise, auquel cas l'employeur ne peut exiger de le gérer.

[1] Voir page 785 du *Droit des comités d'entreprise et des comités de groupe*, par Maurice Cohen, 8e édition, éd. LGDJ, 2005.

Prévoyance et mutuelle

***« La tendance actuelle est de proposer une offre complète, intégrant la couverture santé, la prévoyance et la retraite, voire les autres plans d'épargne »*, remarque Patrick Delicourt, responsable de la protection sociale au sein de la CFDT.**

La prévoyance couvre, au sens strict, les risques d'incapacité temporaire de travail, d'invalidité, de dépendance et de décès. Le comité d'entreprise doit être informé et consulté pour la mise en place et pour les modifications d'une prévoyance collective obligatoire dans l'entreprise. Dans le cas d'un contrat de prévoyance facultatif, comme pour la mutuelle, les CE peuvent intervenir, mais avec les nouvelles réformes, ces contrats risquent eux aussi d'être de moins en moins nombreux.

Des réformes

Le CE peut participer au financement de la mutuelle, que l'adhésion soit individuelle ou collective, facultative ou obligatoire dans le cadre de l'entreprise (voir Zoom). Cette subvention, considérée comme une contribution patronale, pouvait jusqu'à la loi Fillon de 2003 sur la réforme des retraites être exonérée de cotisations sociales pour un contrat facultatif ou obligatoire. Ceci dans la mesure où elle était accordée dans les mêmes conditions à tous les salariés et sous réserve du respect du seuil fixé de 19 % du plafond de la Sécurité sociale (participation patronale incluse).
« Mais cette loi va poser le problème de la fiscalité des régimes facultatifs », remarque Michel Niel, responsable du secteur grands comptes à l'Union nationale de la prévoyance de la Mutualité française. Car depuis cette réforme, les contributions des CE au financement des contrats facultatifs signés après le 1er janvier 2005 sont assujetties au paiement de charges sociales salariales et patronales. Et cette disposition sera applicable à partir de 2008 aux contrats signés avant 2005. Un régime transitoire qui vaut aussi pour le nouveau seuil d'exonération par salarié et par an, égal à 6 % du plafond de la Sécurité sociale et de 1,5 % de la rémunération du salarié (une limite plafonnée à 12 % du plafond). La participation est soumise à la

ZOOM Le CE de Lafuma s'implique dans la mutuelle

A Lafuma, dont le siège social se trouve dans la Drôme, tous les salariés ont une mutuelle. Si celle des cadre est spécifique, les quelque 300 autres salariés en ont également une, obligatoire. *« Nous l'avons mise en place il y a six ans. Il s'agit d'une mutuelle obligatoire avec deux tarifs, selon qu'on adhère pour toute la famille ou que l'on est seul »*, explique Gilles Dreveton, secrétaire du comité d'entreprise. Auparavant, le CE participait financièrement à la mutuelle, mais dans le cadre d'adhésions individuelles. *« Nous nous sommes aperçus que certains salariés n'avaient pas de complémentaire santé. Le passage à une mutuelle de groupe a permis de donner une couverture à tous »*, poursuit-il. Par accord entre les organisations syndicales et l'employeur, des réunions d'information et de consultation des salariés ont été organisées. *« Certains étaient contre, mais dans la majorité des cas, ils ont vite vu l'avantage à la mise en place de ce dispositif »*, rapporte Gilles Dreveton. Avec la mutuelle de groupe, le tarif est beaucoup plus bas, alors que le budget du CE a été maintenu quasi à l'identique. Le CE et l'employeur ont établi un cahier des charges après avoir réalisé un sondage afin de connaître les attentes des salariés : les soins optiques et dentaires sont ressortis, au détriment du dépassement d'honoraires.
Un appel d'offres a été ensuite effectué et cinq organismes ont été contactés. *« Chaque année, nous faisons un bilan avec la responsable de l'organisme, nous examinons l'état du rapport entre versements des cotisations et remboursements. Pour les augmentations de cotisations, le CE décide s'il les prend en charge ou si ce sont les salariés qui le font. »*
Actuellement, pour une adhésion pour lui seul, le salarié paie 17,80 euros par mois, le CE 12 euros et l'employeur 11,25 euros ; pour un couple avec deux enfants, la part salariale est de 53 euros, la patronale de 34 euros et de 41 euros pour le CE. Cette politique représente environ 30 % du budget d'activités sociales et culturelles du comité.

taxe de 8 % sur les contributions destinées à financer des prestations complémentaires de prévoyance dues par les employeurs occupant plus de 9 salariés, ainsi qu'à la CSG-CRDS après abattement de 3 %.
De plus, en 2005, un décret est venu fixer les règles que doivent respecter les contrats pour pouvoir bénéficier d'exonérations fiscales ou sociales. Par exemple, ces contrats ne doivent pas prévoir le remboursement des actes ne respectant pas les parcours de soins. Ceux qui respectent ces règles sont dits « responsables », les autres perdent les avantages de l'exonération sociale.
Les organismes proposant une assurance complémentaire santé sont les mutuelles (regroupées ou non au sein de la Mutualité française), les institutions de prévoyance et les sociétés d'assurances, ces dernières étant purement commerciales. Etant donné la complexité de ce domaine, il ne faut pas hésiter à poser des questions aux organismes prestataires, ainsi qu'aux organisations syndicales ou aux cabinets conseil avec lesquels vous êtes en contact.

Contacts

- **Union nationale de la prévoyance de la Mutualité française :** www.mutualite.fr
- **Centre technique des institutions de prévoyance :** www.ctip.asso.fr
- **Fédération française des sociétés d'assurances :** www.ffsa.fr

Fiches rédigées par Claire Alet-Ringenbach, Charlotte Chartan, Perrine Créquy, Barbara Hochstedt, Laure Meunier, Lorris Mazaud et Marie-Sophie Peyre

Agir avec son CE dans la société

Le comité d'entreprise peut jouer un rôle social et culturel à l'extérieur de l'entreprise, par des actions de solidarité ou en consommant autrement. Des initiatives qui donnent du sens aux activités des CE.

Les CE et leur environnement social et écologique

La loi autorise depuis peu les comités d'entreprise à mettre en œuvre des actions de solidarité en direction d'autres personnes que les salariés. Dons, mobilisation des salariés en faveur d'associations caritatives, ouverture des activités sociales et culturelles vers l'extérieur, recours à des structures d'insertion ou achat de produits bio et équitables sont possibles.

Les comités d'entreprise s'ouvrent vers l'extérieur et s'engagent dans des actions citoyennes. En premier lieu, cela peut passer par le don. Le code du travail, depuis la loi du 17 juillet 2001 dite Diverses mesures d'ordre social, éducatif et culturel (DDOSEC), précise en effet que *« les membres du CE, après s'être prononcés par un vote majoritaire, peuvent décider de verser* [des] *fonds à une association humanitaire reconnue d'utilité publique afin de favoriser les actions locales ou régionales de lutte contre l'exclusion ou des actions de réinsertion sociale »*.
Certains CE donnaient de l'argent à des associations bien avant, mais cette loi, modifiant l'article L 432-8 du code du travail, légalise ces pratiques en les encadrant. Ainsi, le CE ne peut faire de don que si son budget d'activités sociales et culturelles est excédentaire. Par ailleurs, les dons sont plafonnés à 1 % de ce budget (d'où l'expression de « 1 % solidaire »), même si, rappelle Jean-Bernard Desmonts, directeur de l'inter-CE [1] Acener, *« certains CE qui donnaient par exemple 2 % avant la loi continuent à le faire »*. Si un CE dépasse le seuil du 1 %, c'est l'employeur en tant que son président qui peut rappeler à l'ordre les élus. *« Il y a à la fois peu de CE qui dépassent ce seuil,* ajoute Jean-Bernard Desmonts, *et peu d'employeurs disposés à remettre en cause les choix du CE sur des questions de solidarité, pour une question d'image vis-à-vis des salariés. »*

Au-delà du 1 % solidaire

Depuis la loi de 2001, les CE ont également la possibilité de consacrer une partie de leurs subsides à des actions ne concernant pas uniquement les salariés de l'entreprise ou leurs ayants droit. Ce même article L 432-8 précise en effet que *« le comité d'entreprise assure ou contrôle la gestion de toutes les activités sociales et culturelles établies dans l'entreprise prioritairement au bénéfice des salariés ou de leurs familles »*. L'emploi de l'adverbe « prioritairement » ouvre la voie au partage des prestations avec des personnes extérieures à l'entreprise.
Cet assouplissement permet également une plus grande collaboration entre CE en matière d'action sociale et culturelle et autorise une subvention pour des infrastructures non exclusivement réservées aux salariés de l'entreprise (clubs sportifs, théâtre local...). Enfin, la loi ouvre la voie à l'attribution de places de spectacle ou de séjours à des associations. Toutes choses qui étaient

[1] Les inter-CE sont des associations regroupant plusieurs comités d'entreprise ou organismes assimilés, auxquels elles proposent un ensemble de services et d'activités dans une logique de mutualisation (voir page 46).

couramment pratiquées, mais qui sont maintenant plus officielles et encadrées. Au-delà de l'octroi du 1 % solidaire, les CE peuvent mobiliser leurs salariés pour des actions de solidarité. De même, ils peuvent non seulement partager leurs activités sociales et culturelles avec des personnes défavorisées, mais aussi choisir leurs prestataires parmi des entreprises d'insertion ou des structures favorisant une consommation plus durable : agriculture biologique, commerce équitable, etc. Le tourisme solidaire ou les placements éthiques ont déjà été évoqués dans les chapitres précédents. Voici maintenant des initiatives qui visent à inscrire le CE dans son environnement social et écologique. Encore rares, leur mise en place repose généralement sur l'engagement de quelques élus.
En même temps, il ne faut pas idéaliser la portée de ces actions, comme le rappelle Christian Dufour, de l'Institut de recherches économiques et sociales (Ires), méfiant vis-à-vis de « *cette assignation faite aux CE d'être solidaires. La grande majorité d'entre eux est à peine au seuil de l'existence, financière et sociale* », rappelle-t-il. En outre, ajoute-t-il, « *la notion même d'établissement est très exclusive : les salariés en contrat à durée déterminée et les sous-traitants, par exemple, ne sont pas compris dans le champ d'intervention des CE* ». Pour autant, cela fait consensus, ces bonnes pratiques redonnent aussi du sens à l'action des CE aux yeux des salariés. ■

Nicolas Cochard, Mélanie Mermoz et Naïri Nahapétian

Des actions de solidarité et d'information

Les actions de solidarité des CE ne se limitent pas au don. Elles sont aussi un outil de mobilisation et de sensibilisation des salariés.

Faire des résidences de loisirs appartenant aux CE un lieu de rencontre entre salariés et familles démunies, c'est ce que permet notamment la Bourse solidarité-vacances (BSV), structure rattachée au ministère délégué au Tourisme. Depuis 2000, le CE d'Air France met chaque été plusieurs logements à la disposition de la Bourse moyennant un prix réduit. Cette dernière les propose ensuite à des personnes en difficulté orientées par des collectivités locales, des centres sociaux ou des associations comme le Secours populaire et ATD Quart monde. D'autres CE qui ont des contrats de location de résidences auprès d'opérateurs de tourisme proposent de leurs côtés des places à tarif préférentiel à la Bourse. En 2005, 11 500 personnes en difficulté sont parties en séjours de vacances ou de loisirs grâce à ce dispositif.
De son côté, l'Union des comités pour les vacances (Uncovac, voir page 88), avec l'opération Tandem solidarité-vacances, s'appuie sur un principe de mutualisation : les dons de plusieurs CE financent le départ d'une famille.

« Comme tous les CE n'ont pas de village vacances, ils peuvent participer en donnant une contribution », précise Hervé Fournier, directeur de l'association. Entre 2002 et 2004, 946 familles sont parties grâce à ce Tandem.

Donner sous différentes formes

Les CE les mieux dotés (dans les grandes entreprises publiques ou le secteur bancaire) peuvent organiser des dons. Ainsi, le comité central d'entreprise d'Air France a soutenu trois associations différentes en cinq ans (Mécénat chirurgie cardiaque, Aviation sans frontières et Ensemble contre le sida), en s'engageant à doubler les dons faits par les salariés. Il s'est aussi mobilisé pour venir en aide aux victimes du tsunami en 2005.
Titres restaurant, chèques cadeaux et autres passeports loisirs peuvent également être mis à contribution. Ils entrent ainsi dans le cadre du 1 % solidaire quand ils sont donnés par le CE et non par les salariés. Chèque réveillon (rebaptisé Chèque du don en 2005) est une importante opération de collecte. Mise en place par la coopérative Chèque déjeuner depuis 1999, elle mobilise les 15 000 CE clients du groupe en France et soutient aujourd'hui trois organismes : les Restos du Cœur, la Fondation Abbé Pierre et l'Unicef. Chaque salarié, ou le CE lui-même, peut renvoyer un certain nombre de ses titres restaurant au groupe, en mentionnant une ou plusieurs des associations choisies. Le montant collecté leur est intégralement reversé. *« Les salariés peuvent donner des Chèques lire pour la Bibliothèque du Cœur, ou transformer des Chèques Cadhoc en vaccins pour l'Unicef »*, précise Hélène

ZOOM La solidarité peut aussi être internationale

Depuis 1991, le CE des Mutuelles de Loire-Atlantique a mis en place des actions dans le secteur de la santé publique en Guinée, en partenariat avec la mairie de Nantes. *« Au départ, on ne disposait que d'un petit budget*, explique François Raimbault, un des trois fondateurs du projet au CE. *On s'est donc tournés vers la mairie, qui avait justement pour projet d'aider à bâtir un centre de santé primaire en Guinée. »* Pour réunir des partenaires, l'association Nantes-Guinée a été créée, permettant de recueillir des dons et de faire partir des membres du CE sur le terrain. Le travail avec les Guinéens a permis de créer trois mutuelles. *« On leur a donné un coup de pouce en fournissant une aide surtout technique »*, précise François Raimbault.
Le comité inter-entreprises (CIE) de Terrena, un groupe coopératif agricole installé près de Nantes, poursuit de son côté deux partenariats à la fois. Au Sénégal et au Mali, des membres du CIE sont partis comme bénévoles avec l'association de développement Eau vive pour aider à creuser des puits, à créer des périmètres de maraîchage (afin de diversifier les aliments) et à installer des dispensaires. Au Venezuela, le CIE aide à mettre en place des coopératives agricoles, grâce à Agronomes et vétérinaires sans frontières. *« De petits exploitants se sont regroupés pour recourir à une coopérative d'achat qui leur a proposé des conditions plus avantageuses que leurs négociants habituels*, raconte Mariano Fandos, membre du CIE. *Les échanges sont très riches. Etre du même métier permet de travailler d'égal à égal avec les populations locales. »*

Cambour, chargée de communication chez Chèque déjeuner. Depuis novembre 2005, le Chèque du don a recueilli plus de 100 000 chèques, soit l'équivalent de près de 770 000 euros. En moyenne, 170 000 salariés par an sont mobilisés par leur CE dans le cadre de cette opération.
Certains inter-CE distribuent aussi leurs propres titres à des personnes en situation précaire. L'inter-CE nantais Acener reverse une partie des bénéfices qu'il tire de ses chèques cadeaux aux Restos du Cœur et à une association d'insertion angevine. A Brest, l'inter-CE Epicea propose à ses comités adhérents d'acheter des Passeports loisirs-culture (places de spectacle, sport, activités artistiques) et de les reverser au Secours populaire. L'an passé, dix comités adhérents ont pu remettre l'équivalent de 2 265 euros de tickets à l'association. Sans compter une collecte de jouets d'occasion auprès des salariés et l'achat de jouets neufs pour des enfants défavorisés.

Pérenniser et informer

Les associations s'attachent à ancrer dans la durée leur partenariat avec les CE, éventuellement en le renouvelant sous des formes variées. Le Secours populaire, par exemple, organise des collectes alimentaires, mais travaille aussi à l'accès de tous aux loisirs. Il insiste par ailleurs sur l'échange d'informations, un volet essentiel de toute démarche de solidarité dont l'objet est aussi de sensibiliser la population aux problèmes de l'exclusion. Dans le cas du Secours populaire, cela passe par l'affichage, la diffusion de dépliants ou l'organisation de conférences. *« Pour nous, le comité d'entreprise est avant tout un relais*, précise Thierry Robert, membre de l'association, *un lieu pour rencontrer des gens qui proposent de nous aider. »*
Pour que la démarche se déploie sur le long terme, il faut aussi la pérenniser au travers de structures consacrées. *« Dans le nord du Finistère, avec les collectifs adhérents, nous venons de mettre en place une commission dédiée à la solidarité,* raconte Yvon Lainé, directeur de l'inter-CE Epicea. *Le but est de mettre en commun nos moyens et de définir une politique plus percutante et diversifiée. »* Car *« la solidarité n'est pas comme l'acte d'achat, immédiat et facile. Elle suppose que les élus et les salariés se montrent volontaires »*, insiste Hervé Fournier, directeur de l'Uncovac. ■ **N. C.**

Contacts

- **Opération Chèque du don :** Groupe Chèque déjeuner, 1 allée des Pierres-Mayettes, Parc des Barbanniers, BP 33, 92234 Gennevilliers Cedex, tél. : 01 41 85 06 28, site : www.chequedudon.com
- **Epicea :** 9 rue de l'Observatoire, 29200 Brest, tél. : 02 98 33 64 00, site : www.cezam-bretagne.com/epicea_29n/
- **Association Nantes-Guinée / CE des Mutuelles de Loire-Atlantique :** 29 quai François-Mitterrand, 44273 Nantes Cedex 2, tél. : 02 51 72 34 57, site : www.nantes-guinee.org, courriel : nantesguinee@free.fr
- **Secours populaire :** 9-11 rue Froissart, 75003 Paris, tél. : 01 44 78 21 00, site : www.secourspopulaire.fr

Consommer en insérant

Les comités d'entreprise peuvent soutenir des structures d'insertion par l'activité économique en ayant recours à leurs services de manière ponctuelle ou sur une plus longue durée.

Les comités d'entreprise ont le plus souvent recours aux acteurs de l'insertion par l'activité économique de manière ponctuelle, à l'occasion de festivités organisées pour les salariés de l'entreprise par exemple. Ainsi, le CE de l'Association départementale des amis et parents d'enfants inadaptés d'Ille-et-Vilaine (Adapei 35) a fait appel à L'Archipel, structure de promotion de l'économie solidaire ayant une activité de traiteur, pour fournir le repas de Noël. Pour Franck Morvan, trésorier du CE, c'est une initiative qui permet de *« mettre en cohérence notre action et les valeurs que nous défendons »*.

Bénévoles pour les paniers bio

Mais les CE peuvent aussi avoir recours aux services d'entreprises d'insertion sur du long terme. *« Certains CE qui travaillent avec nous utilisent les services de centres d'aide par le travail (CAT) pour router les journaux produits par le CE »*, explique Alain Ridard, délégué régional de Face Cezam Bretagne. Une dizaine de CE de la région, dont celui du Crédit lyonnais, ont de leurs côtés recours à l'imprimerie d'insertion Alpe Impression pour les documents envoyés aux salariés.

Pour toucher les CE, Alpe Impression a mis en place une communication ciblée, *« en tenant un stand lors du dernier salon CE »*, explique Thierry Parquet, directeur de la structure. Mais la plupart du temps, des réseaux informels sont à l'origine de ce type de collaboration, notamment les contacts personnels des élus. Ainsi, au CNRS de Nancy, le comité d'action et d'entraide sociales (CAES), l'équivalent du CE pour cette structure publique, a proposé aux salariés l'achat de paniers de légumes biologiques par le biais des chantiers d'insertion Les Jardins de Cocagne. Cette initiative a été suggérée par un élu, militant CFDT, qui en était client. Le CAES y a consacré un local à proximité immédiate du restaurant d'entreprise où passent chaque jour 400 à 500 personnes. Une trentaine de salariés y retirent chaque semaine leur

L'insertion par l'activité économique

Les dispositifs d'insertion par l'activité économique se sont développés en France dans les années 70-80 face à la montée de l'exclusion engendrée par le chômage de masse. Entreprises d'insertion, associations intermédiaires, chantiers d'insertion... développent une activité à la fois économique et vecteur d'intégration pour des individus socialement et professionnellement exclus : chômeurs de longue durée, jeunes sans qualification, personnes sans domicile fixe, etc.

Ces structures concernent plus de 250 000 personnes chaque année. Le Conseil national de l'insertion par l'activité économique les fédère.

panier de légumes, lors des permanences assurées par des bénévoles investis dans le CAES et qui se chargent en outre de la réception des paniers et de la facturation aux clients.
Le rôle des inter-CE est aussi dans ce domaine décisif. « *Nous essayons de sensibiliser les élus à l'insertion* », explique Jean Castel, membre du bureau de l'OIS, inter-CE d'Ille-et-Vilaine. C'est dans le but de faire connaître aux CE les entreprises et les associations d'insertion que s'est également fondé, en 1997, l'inter-CE Forces en Lorraine. Forces a misé sur des partenariats de longue durée. « *Nous avons mis en place une plate-forme pour proposer des services à domicile* », explique Isabelle Kaufmann, sa directrice. Garde d'enfants, repassage, travaux de jardinage ou de bricolage sont ainsi proposés par des associations d'insertion.

Les services à domicile en débat

Le CAES du CNRS de Nancy a recours à cette plate-forme. Il met de plus à disposition un local, finance l'achat de casiers et de paniers pour le linge, et informe les salariés. « *Si une partie des salariés utilise ce service comme un autre, la majorité d'entre eux est sensible à sa dimension d'insertion. Certains pourraient trouver moins cher ou plus près de chez eux, mais ils font le choix de ce système* », se félicite Alain Zerouki, son secrétaire.
La mise en place du titre emploi service et le subventionnement d'une partie de ces services par le CAES a permis le développement du recours à ces associations d'insertion. Mais la création du chèque emploi service universel (Cesu), en novembre 2005, change la donne pour Isabelle Kaufmann : « *Le titre emploi services permettait d'éviter le gré à gré en impliquant des associations employeurs, car il n'était pas possible de rémunérer directement la personne employée. Le Cesu permet lui de rémunérer directement la personne qui effectue le service à domicile. Cela rend le contrôle plus difficile.* »
Face à cette évolution, l'attitude des comités d'entreprise peut varier. « *Celui de l'Institut national de recherche scientifique de Lorraine a décidé de continuer à ne subventionner que les services réalisés via les associations agréées* », poursuit la directrice de Forces. Certains CE, comme celui de l'Adapei 35, ont quant à eux décidé de ne plus subventionner les services à la personne après la mise en place du Cesu.
La majorité des CE, même consommateurs de services de proximité, ne soutiennent pas les acteurs de l'insertion, loin s'en faut. Souvent l'action d'un CE dépend dans ce domaine d'une seule personne motivée. « *Quand celle-ci n'est plus là, l'action s'arrête. Il est difficile de tenir dans la durée* », souligne Isabelle Kaufmann. ■

M. M.

Contacts

- **L'Archipel : 1 rue Anatole-France, 35000 Rennes, tél. : 02 23 46 05 06.**
- **Réseau des Jardins de Cocagne : 2 Grande-Rue, 25220 Chalezeule, tél. : 03 81 21 21 10, site :** www.reseaucocagne.asso.fr, **courriel :** rc@reseaucocagne.asso.fr
- **OIS : 41 square Charles-Dullin, 35000 Rennes, tél. : 02 23 30 22 77, site :** www.cezam-bretagne.com/ois_35
- **Forces : 15 bd Charles-V, 54000 Nancy, tél. : 03 83 39 07 60, site :** www.forces-interce.com

Partager ses activités culturelles

En ouvrant leurs activités culturelles à des personnes extérieures à l'entreprise, les CE jouent un rôle d'animation locale.

« Que se passerait-il sur un territoire si les comités d'entreprise disparaissaient ? Leur rôle d'animateur local est largement méconnu », regrette Pascale Puig, responsable du secteur culture de Trans-tourisme Isère, inter-CE situé à Grenoble. Entre l'organisation de spectacles, la gestion d'équipements culturels (médiathèque d'entreprise par exemple) ou sportifs, l'action des CE déborde parfois le cercle des salariés et ayants droit. Ils peuvent ainsi jouer un rôle d'animation du tissu local, notamment quand ils mènent une réflexion sur la complémentarité de leur offre avec les équipements municipaux.

A Pont-de-Claix, en Isère, les habitants de la ville ont accès aux infrastructures héritées de l'ancien CE de Rhône-Poulenc, maintenant propriétés de celui de Rhodia (la plus grosse entreprise de la plate-forme chimique née de la division de Rhône-Poulenc). Cette ouverture s'est accompagnée un temps d'un travail de coordination entre la bibliothèque du CE et celle de la municipalité, qui partageaient leurs fonds. *« Jusqu'à il y a deux ou trois ans, il était possible d'emprunter puis de rendre des ouvrages indifféremment dans les deux endroits, l'un étant situé au nord de la commune, l'autre au sud »*, raconte Eric Perron, secrétaire du CE de Rhodia. Mais quand la médiathèque municipale est entrée dans un réseau rassemblant les équipements municipaux du sud de l'agglomération grenobloise, ce partenariat a été abandonné car trop lourd à gérer pour le CE. La bibliothèque est néanmoins toujours ouverte aux salariés des entreprises voisines, ainsi qu'aux habitants de la commune.

Higelin à 2 euros

Nombreux sont aussi les inter-CE qui s'investissent dans des actions de solidarité visant à encourager l'accès à la culture des personnes défavorisées. Des partenariats sont notamment mis en place avec des associations caritatives. Ainsi, en Normandie, l'inter-CE Vivats favorise la mutualisation des moyens afin d'offrir des spectacles de qualité pour un prix modique ; il cède un grand nombre de places au Secours populaire qui les redistribue gratuitement. *« En 2005, 47 000 enfants ont pu assister à des spectacles entre Rouen, Caen et Le Havre. Parmi eux, 2 500 enfants avaient été invités via le Secours populaire »*, se félicite Jacques Defortescu, secrétaire régional de Vivats.

De même, en Lorraine, à l'initiative de l'inter-CE Forces, l'opération Fenêtres ouvertes rassemble une dizaine de CE et propose tous les mois et demi des spectacles à un prix très modique à des associations d'insertion. *« Nous avons ainsi proposé des places pour des concerts de Jacques Higelin à 2 euros »*, explique François Brandt, secrétaire du CE de l'Institut national de recherche scientifique (INRS) Lorraine. Par ailleurs, *« la maison des jeunes et de la culture voisine a accueilli un groupe hollandais de musique klezmer* [d'inspiration yiddish]. *Le producteur était rassuré par le fait qu'une partie des places aient été déjà vendues par le biais de l'opération Fenêtres ouvertes et a accepté de faire venir le groupe »*, poursuit-il.

« Un vrai spectacle »

Les comités d'entreprise peuvent aussi jouer un rôle d'innovation culturelle. L'aide à la compagnie de théâtre militant Jolie Môme par des CE régionaux de la Caisse des dépôts et consignations s'inscrit dans cette optique. Accueillie en « résidence » à Bordeaux à plusieurs reprises, elle a présenté ses créations dans son chapiteau, mais aussi dans la salle de spectacle de la caisse primaire des activités sociales (CPAS), l'équivalent jusqu'à récemment chez EDF du comité d'établissement, louée par le CE de la Caisse des dépôts. Plusieurs comités d'entreprise se sont impliqués et les représentations n'étaient pas réservées à leurs seuls salariés, mais ouvertes au grand public. *« Cela change aussi la perception du spectacle par le public CE »*, souligne Michel Roger, le metteur en scène de la compagnie. Ouvert à d'autres publics, il est davantage perçu comme un « vrai spectacle ».
Considérer les CE comme de véritables acteurs culturels, c'est aussi le credo de Pascale Puig, de l'association Trans-tourisme Isère (TTI). Cet inter-CE œuvre notamment depuis une dizaine d'années pour développer la culture cinématographique. *« Nous avons d'abord organisé des formations sur l'économie du cinéma afin de sensibiliser les élus, notamment à la situation des salles indépendantes »*, explique-t-elle. La vente de tickets de cinéma à bas prix est une des activités les plus connues des CE. Outre les billets des deux multiplexes de l'agglomération grenobloise, de nombreux CE de la ville proposent maintenant des places dans le réseau de salles indépendantes. Cette action a conduit à l'organisation d'un week-end de rencontres cinématographiques financées par une quinzaine de CE. Baptisée Ecran total, cette manifestation ouverte à tous est l'occasion d'avant-premières ou de projections avec débats en présence de réalisateurs. ■

M. M.

Contacts

- **Vivats : 26 rue Clovis, 76600 Le Havre, tél. : 02 25 21 69 63.**
- **Trans-tourisme Isère : 18-20 rue Henri-Barbusse, 38100 Grenoble, tél. : 04 76 09 77 47, courriel :** info@tti-grenoble.com

Consommation durable : une lente diffusion

Des actions simples et peu coûteuses permettent aux comités d'entreprise de limiter les retombées sociales et environnementales de leur consommation. Des initiatives encore rares.

« Seuls 3 % de nos CE adhérents, parmi ceux qui offrent des cadeaux à leurs salariés pour Noël, proposent des produits équitables », estime Patricia Sanmartin, d'Armorice, inter-CE des Côtes-d'Armor. Rares sont les comités d'entreprise qui mettent en place des actions en faveur du développement durable dans leur établissement : ils sont en effet peu nombreux à porter une attention particulière aux modes de fabrication des biens et des services qu'ils consomment, afin que ceux-ci allient équité sociale, au Nord comme au Sud, et respect de l'environnement. Pourtant, les possibilités d'action sont multiples : introduire des repas bio à la cantine, proposer des voyages de tourisme solidaire (voir Zoom ci-après), faire appel à des centres d'aide par le travail (CAT) qui emploient des personnes handicapées pour les événements organisés par le CE, utiliser du papier recyclé, etc.

Pour impliquer les élus, la plupart des syndicats organisent désormais des tables rondes ou des formations sur le développement durable. A la CGT, six formations ont lieu au niveau national chaque année. Elles proposent *« aux stagiaires des outils, pas des recettes »*, explique Bernard Saincy, animateur du collectif développement durable à la CGT. Des unions départementales sont également en train d'en mettre en place.

Ces questions figurent cependant rarement à l'ordre du jour, en partie parce que *« dans un contexte économique tendu, les problèmes de maintien dans l'emploi redeviennent prioritaires »*, analyse Philippe Bourgeteau, directeur de Dacc, inter-CE d'Angers. Par ailleurs, les organismes spécialisés, souvent en contact avec les directions des entreprises, communiquent peu auprès des CE : ni le Comité 21 (chargé de la mise en place de l'Agenda 21 en France), ni le collectif De l'éthique sur l'étiquette n'entretiennent de contact formel avec eux. Les liens se créent donc au cas par cas, lorsque des associations ou des entreprises de commerce équitable comme Artisans du monde ou Max Havelaar se mettent en relation avec des CE ou des inter-CE. Environ 150 comités d'entreprise en France ont ainsi été en contact (ce qui ne signifie pas qu'il y a eu achat) avec des groupes Artisans du monde. Le CE de France Télécom, par exemple, a distribué à 1 700 salariés des chèques cadeaux d'une valeur de 30 à 40 euros à valoir dans ces boutiques.

Cinq centimes par boisson

Depuis 2004, sur l'idée du CE d'Alcatel-Lannion, le restaurant de l'entreprise (géré par Sodexho) sert des boissons chaudes labellisées Max Havelaar.

La moitié des usagers, soit plus de 400 personnes, peuvent ainsi terminer leur déjeuner par un café ou un thé équitable. L'association Max Havelaar a prêté des panneaux pour informer les salariés et le CE a diffusé une lettre d'information pour expliquer la démarche. Coût de l'opération pour le comité d'entreprise ? Nul. Coût pour les salariés ? Cinq centimes en plus par boisson. « *Nous avons fait un sondage auprès des usagers : plus de 70 % ont répondu que l'augmentation du prix ne leur posait pas de problème* », se souvient Hervé Lassalle, élu (CFDT) du CE.
Le CE de France Télécom Recherche et développement a eu moins de succès quand il a proposé l'année dernière à 700 salariés 250 bons d'achat équitables d'une valeur de 30 ou 40 euros. Tous n'ont pas trouvé acquéreur, loin s'en faut. « *C'était la première année et certains n'ont peut-être pas eu l'information* », explique Roseline Kalifa, chargée du développement durable dans l'entreprise. Autre analyse possible : les salariés ne veulent pas qu'on leur impose ces nouveaux produits, ils préfèrent les bons d'achat mixtes, composés à la fois de cadeaux traditionnels et de produits éthiques ou bio. Mais les prestataires de chèques cadeaux n'en proposent pas. C'est pour cela que les inter-CE des Pays-de-la-Loire ont créé leurs propres passeports cadeaux. « *Ces bons d'achat donnent accès en 2006 à près de 150 commerces. Parmi eux, quelques enseignes nationales, mais surtout des boutiques de proximité et une vingtaine de commerces bio ou équitables* », explique Philippe Bourgeteau. Pour le comité d'entreprise, le fonctionnement est celui d'un chèque cadeaux traditionnel, qu'il achète en quantité et au prix qu'il souhaite à son inter-CE pour le redistribuer ensuite aux salariés.

La démarche globale du CE de Bayard

Le comité d'entreprise de Bayard presse gère un restaurant d'entreprise qui sert 500 repas par jour. En 2004, les élus ont décidé d'y proposer des plats bio : « *Sodexho n'ayant jamais fait cela, il a dû former le personnel* », explique Christian Jouen, secrétaire (CFDT) du CE de Bayard presse. Depuis, 20 % à 25 % des salariés choisissent le plat bio, une proportion qui reste stable, « *à condition de mener régulièrement des campagnes*

Qu'est-ce que le développement durable ?

Notre mode de développement repose sur l'exploitation d'un stock de ressources non renouvelables (pétrole, gaz, matières premières...). Il engendre des déchets et des rejets qui causent de graves dégâts dans l'environnement et n'est pas généralisable à l'ensemble de l'humanité. C'est de la prise de conscience de ces réalités qu'est né le concept de développement durable.
Ce concept entend concilier des exigences à la fois environnementales, sociales et économiques. Le Sommet de la Terre de Rio, en 1992 a défini un programme d'actions intitulé Agenda 21, qui vise à faire adopter par les Etats, les collectivités et les entreprises des actions concrètes respectant trois grands axes : un principe de solidarité avec les générations futures et les autres populations de la planète ; un principe de précaution, privilégiant la prévention sur la réparation et proposant de s'abstenir plutôt que d'agir quand les retombées d'une activité sont inconnues ; et, enfin, un principe de participation démocratique.

d'information à travers de petites expositions dans le restaurant », ajoute Christian Jouen.

Par ailleurs, le CE fait souvent appel à la solidarité des enfants de salariés. Les plus jeunes peuvent donner à Enfance et Partage les chèques cadeaux de 30 euros auxquels ils ont droit à Noël. Ils sont près d'un quart à le faire. Et la plupart des activités proposées aux enfants ont une dimension écologique ou sociale (par exemple des séjours de secourisme, qui remportent un franc succès chaque année auprès des petits). Enfin, dans une démarche globale, le CE fait appel à des CAT pour ses fournitures de bureau et publie sa lettre d'information sur papier recyclé. Les élus tentent d'ailleurs d'inciter la direction à suivre cet exemple, même si le papier recyclé coûte plus cher que le papier normal.

Malgré cela, certains représentants de salariés se demandent si la promotion du développement durable entre vraiment dans leurs attributions. *« Evidemment !,* répond Jean-Bernard Desmonts, directeur de l'inter-CE nantais

ZOOM Partir autrement

Le tourisme solidaire applique au voyage les principes du commerce équitable : il suppose de faire participer les populations locales du Sud à la gestion du voyage, dans un objectif de développement. Les bénéfices sont en partie reversés aux populations et des actions de solidarité sont souvent menées dans le cadre du séjour.

Chaque année, l'association Activités sociales et culturelles des salariés de droit privé (Asoc), équivalent du CE à la Caisse des dépôts et consignations, propose un voyage solidaire à ses salariés. Une initiative qui doit beaucoup à la sensibilité personnelle des responsables de l'Asoc. En 2005, deux groupes d'une dizaine de personnes sont ainsi partis au Burkina Faso avec l'association Tourisme et développement solidaires (TDS). Pendant huit jours, ils ont participé à la vie quotidienne d'un village et quatre jours supplémentaires ont été consacrés à des visites plus « traditionnelles » de la région. Le montant du voyage s'élevait à 1 450 euros par personne, avec une aide de l'Asoc de 450 à 850 euros.

Malgré cette aide, il semble que ces voyages soient le fait d'une dizaine « d'abonnés », souvent assez militants. « *Cependant, les salariés qui ne partent pas sont sensibilisés par le biais de leurs collègues aux questions de développement* », commente Patrick Blamoutier, président de l'Asoc. Par ailleurs, l'association demande aux voyageurs de verser avant leur départ 75 euros à l'association CDC Tiers-monde, qui soutient des microprojets au Sud. La Caisse des dépôts contribue pour la même part à ce panier. A leur retour, les participants décident de l'attribution de ce don dans la région dont ils reviennent, en concertation avec l'association avec laquelle ils sont partis.

D'autres CE relaient simplement auprès de leurs salariés l'offre d'associations de tourisme solidaire, comme Arvel voyages, dont une centaine de CE sont adhérents. Cette adhésion (11 euros) permet d'avoir des réductions de 10 % pour les familles aux revenus modestes. Arvel a défini une quinzaine de voyages comme solidaires (Niger, Inde...) : des actions de développement sont mises en place avec des associations locales, auxquelles Arvel reverse 15 euros par voyageur. Ainsi, au Sénégal, l'association Jangalekat a construit une bibliothèque et créé un centre d'activités pré et périscolaires dans le village de N'Dangane.

Claire Alet-Ringenbach

Acener. *Les CE doivent innover aujourd'hui comme ils l'ont fait hier : dans les années 70, ils ont promu la lecture grâce aux bibliothèques d'entreprise, puis le spectacle grâce aux clubs de théâtre. Maintenant, la révolution est à faire dans le domaine du développement durable.* » Ces démarches peuvent en effet être l'occasion de redonner du sens aux actions sociales et culturelles du CE, un moyen de sortir du rôle de billetterie auquel il est souvent réduit et de recoller les morceaux entre avantages financiers individuels et vision collective de l'entreprise. ■

Christelle Fleury

Contacts

- **Fédération Artisans du monde :** 53 bd de Strasbourg, 75010 Paris, tél. : 01 56 03 93 50, site : www.artisansdumonde.org, courriel: info@artisansdumonde.org
- **Max Havelaar France :** 261 rue de Paris, 93100 Montreuil-sous-Bois, tél. : 01 42 87 70 21, site : www.maxhavelaarfrance.org, courriel: webmaster@maxhavelaarfrance.org
- **Comité 21 :** 132 rue de Rivoli, 75001 Paris, tél. : 01 55 34 75 21, site : www.comite21.org, courriel : comite21@comite21.org
- **Tourisme et développement solidaires (TDS) :** 22 rue du Maine, BP 30613, 49106 Angers Cedex 02, tél. : 02 41 25 23 66, site : www.tourisme-dev-solidaires.org, courriel : contact@tourisme-dev-solidaires.org
- **Arvel voyages :** BP 2080, 69616 Villeurbanne, tél. : 03 88 15 14 60, site : www.arvel-voyages.com
- **Pour aller plus loin :** « La consommation citoyenne », *Alternatives Economiques pratique*, deuxième édition, à paraître en novembre 2006, 9,50 €.

Pour aller plus loin

Développer les comités d'entreprise et les rendre efficaces dans le contexte de la mondialisation. La place des femmes en leur sein. Le bilan des experts sur leur rôle de consultation et d'information. La cogestion à l'allemande. Le regard de syndicalistes, d'experts et de chercheurs.

Les relations entre les comités d'entreprise et les syndicats

La majorité des salariés ne bénéficient pas de CE, lesquels sont surtout présents dans les grandes entreprises. Ils peuvent être un outil de remobilisation pour les syndicats qui réfléchissent à leur développement. Le point sur les enjeux et les stratégies avec Alain Guinot, de la CGT, et Rémi Jouan, de la CFDT.

Comment s'articulent les liens entre votre organisation syndicale et les CE sur le terrain ? Sachant que le nombre de CE tenus par des non-syndiqués augmente...

Alain Guinot : Nous, les organisations syndicales, nous avons droit à une représentation consultative dans les comités d'entreprise, sans droit de participation au vote, car le CE appartient à tous les salariés. Quant aux élus indépendants, leur nombre avait reculé aux avant-dernières élections, mais il est de nouveau en progression. Sur le terrain, ces élus sont souvent en difficulté, car n'étant pas adossés à des organisations qui leur offrent une expertise, ils sont moins souvent une force de proposition. Par ailleurs, nous organisons des formations pour les élus et des salons où se tiennent des débats et des rencontres.

NVOPHOTO

Alain Guinot,

secrétaire du bureau confédéral de la CGT et directeur du journal *La nouvelle vie ouvrière.*

D.R.

Rémi Jouan,

secrétaire national à la CFDT, chargé des institutions de représentation du personnel.

Rémi Jouan : Attention, le comité d'entreprise n'appartient pas aux organisations syndicales, contrairement aux sections syndicales qui sont nos liens naturels dans l'entreprise. Nous, les syndicats, nous sommes donc dans une approche de conquête vis-à-vis du CE, et nous essayons, c'est le jeu électoral, d'être représentés et même d'être majoritaires afin de faire passer notre conception de l'entreprise et du monde du travail à travers lui. Même si les syndicats jouent un rôle primordial pour établir les listes électorales et un monopole au premier tour des élections des CE, il est vrai que beaucoup de ces CE n'ont pas de rapports avec des syndicats, autres que les délégués syndicaux qui en sont les représentants.

L'étude que la CFDT a réalisée il y a quatre ans [1] montre que même quand les élus appartiennent à une organisation syndicale, les liens avec la section peuvent être distendus, et les démarches entre représentants syndicaux et comités d'entreprise peuvent se déployer en parallèle, sans forcément s'articuler. Nous réfléchissons actuellement sur la manière de reconstruire ces liens et de les développer, ceci pour les comités d'entreprise, mais aussi pour les délégués du personnel et les comités d'hygiène, de sécurité et des conditions de travail (CHSCT).

Comment développer les CE ?

Alain Guinot : Les comités d'entreprise existent aujourd'hui dans les entreprises de plus de 50 salariés. L'immense majorité des salariés, qui se trouvent

[1] « Elus CFDT aux comités d'entreprise. De l'action institutionnelle à l'action stratégique », par Brigitte Mouret et Cécile Guillaume, septembre 2002.

dans des entreprises plus petites, n'en bénéficient pas. Il nous semble donc essentiel de permettre aux PME de les développer, grâce à des regroupements d'entreprises par bassin d'emploi ou par branche d'activité, afin de mutualiser les activités sociales et d'assumer le rôle d'information économique. Pour l'instant, ces systèmes se mettent surtout en place pour les activités sociales et culturelles. Des accords ont ainsi été conclus entre entreprises dans la métallurgie, qui prévoient une mise en commun de la gestion de ces activités avec une participation patronale. Mais ils ne concernent pas le rôle économique des CE.
Il y aurait donc quelque chose à inventer, des outils permettant la conquête de nouveaux droits pour les salariés sur les deux volets, le rôle d'information des CE et les services qu'ils offrent. Ainsi, les salariés, quelle que soit la taille de leur entreprise, auraient accès à cette institution de représentation du personnel. Par ailleurs, là où les CE existent, il faut accroître leurs prérogatives en matière économique et les moyens de développer leurs activités.

Rémi Jouan : L'intérêt des comités d'entreprise est pour nous évident, et il faut en convaincre les salariés. Au-delà des activités sociales et culturelles, dont le budget est facultatif, les CE permettent aux salariés de participer à la vie de l'entreprise, car leurs élus sont obligatoirement informés de la situation économique de celle-ci. Les CE peuvent même être, sur des sujets comme la formation continue, une force de proposition importante. Beaucoup de patrons aimeraient qu'ils se cantonnent aux activités sociales et culturelles. Mais les comités d'entreprise peuvent être des outils permettant aux salariés d'être véritablement parties prenantes de l'entreprise, amenant la direction à informer les élus mais aussi à les écouter.
Quant aux PME, notre approche est d'y développer d'abord la délégation du personnel, c'est la priorité, puis les comités d'entreprise, ceux-là étant complexes à monter, puisqu'ils demandent pour bien fonctionner que les élus soient formés. Au-delà, nous réfléchissons à des systèmes de mutualisation interentreprises à l'échelle d'un territoire. C'est plus facile pour les activités sociales et culturelles, car on peut notamment s'appuyer sur les réseaux des inter-CE. Ainsi, dans le secteur de l'artisanat, la Confédération de l'artisanat et des petites entreprises du bâtiment (Capeb) a pris des contacts avec des inter-CE pour mettre en place ce type d'initiatives.

Comment les CE s'inscrivent-ils dans l'ensemble des institutions de représentation des salariés ? Ne sont-ils pas aussi facteurs d'éclatement et de dispersion de cette représentation, créant une confusion pour les salariés ?
Alain Guinot : Il n'y a pas de concurrence, car la fonction revendicative classique est assumée par les délégués du personnel (DP). Par ailleurs, les CE permettent aux élus d'avoir connaissance des données économiques et sociales concernant les entreprises.

Rémi Jouan : Ce n'est pas un facteur de confusion. Le délégué syndical a un rôle de revendication et de négociation ; le CE un rôle d'information et de consultation dans les domaines de la stratégie et de l'économie de l'entreprise et d'animation dans le domaine social et culturel. Les délégués du personnel, en s'appuyant sur les informations venant des CE, remplissent quant à eux un rôle de proximité et de représentation des salariés. Sur le terrain, il est surtout nécessaire de décloisonner et de créer des interactions. De fait elles existent, puisque les membres du CHSCT, par exemple, sont élus à la fois par les DP et par le CE.

Comment remobiliser les salariés pour qu'ils participent aux actions syndicales ? Le CE peut-il être un moyen à cette fin ?
Alain Guinot : On peut remobiliser les salariés autour du comité d'entreprise en partant de deux axes. Le premier concerne leur rôle d'information économique, largement lié à la question de l'emploi, préoccupation centrale des salariés. La création des comités de groupe, y compris à l'échelle européenne (voir page 133), est une avancée pour mieux maîtriser les informations économiques, qui se situent désormais à une échelle européenne, voire mondiale. La mesure introduite par la loi de modernisation sociale, mais remise en cause par la droite en 2003, permettait aux organisations syndicales de faire, dans des situations de difficulté économique et particulièrement dans le cas d'un plan social, des contre-propositions alternatives.
Deuxième axe de remobilisation autour des CE : les activités sociales, très importantes. Leur développement ne s'oppose pas à celui du rôle économique des CE. Par ailleurs, il peut ne pas aller dans un sens consumériste. Concrètement, le tourisme social permet de faire exister le droit de chacun (y compris les salariés des PME) à des vacances de qualité, la restauration collective pose des questions de diététique, de traçabilité des aliments, etc. Autant de questions éthiques dont les CE peuvent s'emparer.
Au-delà, le redéploiement de la présence syndicale est une vraie question qui correspond par ailleurs à une attente des salariés, comme l'enquête annuelle CSA/CGT le prouve. Comment faire ? Il est aujourd'hui très difficile de se syndiquer, la répression syndicale se faisant forte dans les entreprises. Par ailleurs, les syndicats doivent aussi s'interroger sur ce recul et faire évoluer leurs propres structures. En même temps, il serait nécessaire de permettre aux salariés de s'organiser en leur accordant des droits nouveaux. Ainsi, d'une sécurité sociale professionnelle qui prendrait en compte la mobilité des salariés en faisant en sorte que les droits soient attachés aux individus et non aux postes occupés. Cette sécurité sociale professionnelle passerait par le développement de la formation professionnelle et par un élargissement des conventions collectives actuelles.

Rémi Jouan : Les CE sont tout à fait un moyen de remobilisation, en montrant qu'ils peuvent défendre les acquis des salariés et en donnant du sens aux activités sociales et culturelles. Il est par ailleurs important de s'intéresser aux salariés précaires, de plus en plus nombreux et souvent exclus des droits des autres salariés, comme celui de bénéficier des activités du comité d'entreprise. Pour y arriver, il faut d'abord lutter contre la précarité, et le CE peut être un outil pour cela. Mais il faut aussi se battre pour que ces salariés bénéficient de la restauration d'entreprise, des chèques vacances et autres avantages, ainsi que des informations dont dispose le CE. A nos organisation syndicales de faire en sorte que cela soit le cas. ■

Propos recueillis par Naïri Nahapétian

Les femmes dans les comités d'entreprise

La parité hommes/femmes dans les élections professionnelles est encouragée par la loi Génisson de mai 2001. Celle-ci devrait avoir un impact favorable dans les CE, même si l'évolution reste lente.

« Plus mordantes », « plus concrètes », « plus diplomates »..., la présence des femmes dans les CE permettrait d'améliorer la qualité du dialogue social au sein des entreprises. Pourtant, comme pour d'autres fonctions représentatives, on est encore loin de la parité, notamment en ce qui concerne les comités d'entreprise. Selon la Dares [2], du ministère de l'Emploi, 32 % des élus titulaires aux comités d'entreprise et aux délégations uniques du personnel (voir page 31) étaient des femmes, sur le cycle électoral 2000-2001 (derniers chiffres parus), alors qu'elles représentaient plus de 40 % des salariés concernés par ces élections.

Des lois pour promouvoir la parité

Depuis, on peut espérer que le principe de la parité hommes/femmes dans les élections professionnelles, encouragé par la loi Génisson de mai 2001, a fait évoluer la situation favorablement. La loi sur l'égalité salariale adoptée en février 2006 prévoyait dans un de ses articles que *« les listes respectent, à l'unité près, dans un délai de cinq ans, la proportion de femmes et d'hommes de chaque collège électoral »*. Cette disposition a été censurée par le Conseil constitutionnel. *« Nous sommes désolés de cette décision,* réagit Annie Thomas, secrétaire nationale de la CFDT. *Elle nous apparaît comme un recul, un mauvais coup pour la représentation des femmes au sein, notamment, des comités d'entreprise. »*

Au-delà, les syndicats ont également un grand rôle à jouer pour faire évoluer la situation. Toujours sur 2000-2001, la CFTC est la plus proche de la parité, avec 38 % de femmes élues. Les listes non syndiquées arrivent ensuite avec 36 % de femmes élues sur leurs listes, suivies par les syndicats autonomes ou non confédérés (35 %), la CFDT (34 %), la CGT (25 %) et

[2] Dans « Les femmes dans les comités d'entreprise et délégations uniques du personnel : une parité encore lointaine », par Thomas Amossé et Christophe Lemoigne, ***Premières Synthèses*** n° 44.1, octobre 2004.

la CFE-CGC (20 %). Les syndicats misent beaucoup sur la sensibilisation et la formation de leurs membres pour faire bouger les choses. Et même si cela est lent, l'évolution est positive selon Mathilde Sally-Boundé, conseillère confédérale aux activités femmes-mixité à la CGT.

Selon les secteurs

« La forte présence de femmes au sein des élus CFTC est logique : 43 % de nos adhérents sont des adhérentes, explique Pascale Coton, vice-présidente confédérale du syndicat, en charge des problèmes sociétaux, précarité et discrimination. *Lors de notre Congrès de 2002, il a été décidé qu'à chaque fois qu'une délégation se présentait, il fallait qu'il y ait une femme en son sein. Et en novembre 2005, à notre dernier congrès, nous avons élaboré un projet nommé Mixité, égalité et qualité de vie au travail (MEQ), qui vise à promouvoir dans chaque département et fédération un référent ou une référente sur ce projet. L'objectif est d'avoir 150 référents fin 2006 et que ceux-ci aillent dans les entreprises vérifier que la mixité est respectée. »*
« Mixité » et non parité : *« La parité n'est pas faisable partout,* poursuit la syndicaliste. *Il faut prendre en compte la réalité de l'entreprise. » « Nous préférons parler de mixité plutôt que de parité, il faut prendre en compte la réalité des secteurs d'activité »*, note Mathilde Sally-Boundé, de la CGT. *« Le principe que nous défendons est celui de la mixité proportionnelle »*, prenant en compte la proportion de femmes au sein des différents secteurs d'activité, explique quant à elle Annie Thomas. En effet, la parité n'est pas possible dans tous les secteurs, à cause de leurs différents degrés de féminisation : ainsi, dans la construction, fortement masculinisée, les femmes n'étaient que 8 % à être élues dans les CE des entreprises de ce secteur en 2000-2001, mais elle ne représentaient alors que 11 % des salariés. En revanche, dans l'éducation, la santé et l'action sociale, qui comptent 76 % de femmes, elles sont 63 %. On remarquera malgré tout que l'écart leur est pratiquement toujours défavorable... Les résultats plus ou moins performants des syndicats s'expliquent en grande partie par cette raison, leur implantation étant déterminante.

Elues, mais pour quelles responsabilités ?

La question des femmes dans les comités d'entreprise ne s'arrête pas là. Des chercheurs de l'Institut de recherches économiques et sociales (Ires) et de la Dares ont réalisé une étude [3] en 1995 sur les femmes secrétaires de CE. Elles sont bien présentes à ce poste, puisqu'elles étaient 40 % à l'occuper, alors qu'elles ne représentaient à l'époque que 31 % de l'électorat. Mais les chercheurs se sont posé la question des *« responsabilités respectives exercées dans la pratique de cette fonction »*. Et il s'avère que plus l'enjeu est important, plus il y a d'hommes : *« Au niveau du comité d'établissement de l'agence centrale de la Société générale, nous sommes quatre femmes et un homme. En revanche, sur le comité central, nous sommes seize femmes sur quarante élus de plénière »*, fait remarquer Martine Bertellin, élue titulaire

[3] Pour voir une analyse de ces résultats : « Les femmes secrétaires de comité d'entreprise : une parité trompeuse ? », par Adelheid Hege, Christian Dufour et Catherine Nunes, *Premières Synthèses* n° 15.2, avril 2001.

CFDT des deux comités de cette banque qui compte environ 70 % de femmes pour 30 % d'hommes au niveau de ses agences, mais 52 % de femmes au niveau global, la différence révélant la forte présence des hommes aux postes stratégiques.
« Voir les résultats de cette étude a été un grand coup : ils nous apprenaient que nous avions encore beaucoup de choses à faire en tant que syndicat, raconte Annie Thomas. *Notamment qu'il y avait une déperdition du nombre de femmes au fur et à mesure que l'enjeu de pouvoir augmentait. »* Les femmes secrétaires se trouvent surtout dans les entreprises de moins de 100 salariés. La taille et l'ancienneté du CE jouant en faveur des hommes syndiqués.
Alors, en attendant une photographie plus récente de la place des femmes dans les comités d'entreprise, on peut espérer que l'action conjuguée de la loi Génisson et des syndicats, qui ont mis en place des systèmes de quotas, notamment dans leurs chartes, ainsi que des dispositifs de sensibilisation, aura amélioré la situation. Mais les syndicats ont aussi leurs difficultés : ils doivent en premier lieu se battre pour maintenir leur présence au sein des différentes instances représentatives du personnel. ■

Charlotte Chartan

Bilan du rôle économique fait par les experts

Les comités d'entreprise ne peuvent encore exercer tout leur pouvoir d'influence, constate Hélène Robert, de Syndex, car il existe des limites concrètes sur le terrain. François Cochet, du groupe Alpha, constate quant à lui que même si les CE ne parviennent pas encore à anticiper d'éventuelles crises, le droit d'alerte est de plus en plus utilisé et que la vision de l'entreprise évolue auprès de leurs élus.

« Un long apprentissage »

D.R.

Hélène Robert,
directrice du cabinet Syndex, spécialisé dans l'expertise-comptable auprès des comités d'entreprise.

Les CE font-ils facilement appel à un expert pour les assister ?
Les cabinets d'expertise interviennent surtout dans les CE qui sont syndiqués et dans ceux des moyennes et grandes entreprises. Sur les 30 000 CE existants, environ 6 000 font appel à un expert, et ce chiffre est en progression. Pour autant, il leur faut, première difficulté, justifier l'intervention d'un expert, c'est-à-dire prouver qu'il y a un risque pour l'entreprise et qu'on est dans le cadre du droit d'alerte (voir page 54) ou que la technologie est vraiment nouvelle dans le cas des missions « nouvelles technologies ». Or, les CE sont parfois face à des directions qui leur donnent des informations inconsistantes. Nous intervenons alors en amont de la mission pour les aider à établir le risque qui va justifier formellement le recours à l'expert.

Quelles sont les attentes des CE vis-à-vis des experts qui les assistent ?
Les CE attendent généralement que nous répondions à quelques questions clés : « Mon entreprise va-t-elle bien ? Que va-t-il se passer dans les prochains mois ? Comment nous situons-nous vis-à-vis de nos concurrents ? Quelles sont les conséquences sociales de telle ou telle stratégie ? »
Notre rôle est de rendre les comptes intelligibles, mais aussi de faire apparaître ce qu'ils occultent parfois : la dimension sociale, voire sociétale et environnementale, des décisions prises. Finalement, répondre aux questions des élus nécessite un diagnostic global de l'entreprise, qui dépasse notre fonction d'expert-comptable. Et nous nous appuyons également sur l'expertise sociale des élus qui connaissent bien la situation quotidienne des salariés de leur entreprise.

Quel lien y a-t-il entre le rapport que vous rendez aux élus du CE et les négociations qui sont ensuite menées par les organisations syndicales ?
Il existe une forme d'interdépendance entre les élus de CE et les équipes syndicales, les premiers ayant accès à des informations nécessaires aux secondes qui négocient. Les rapports de l'expert peuvent servir à construire l'argumentaire revendicatif dans les négociations annuelles obligatoires, par exemple. Grâce à ces informations, les négociateurs savent mieux quelles sont les véritables marges de manœuvre sur les augmentations salariales.

Comment réagissent les directions lorsque vous intervenez dans les entreprises ?
En France, nous sommes de plus en plus reconnus et intégrés dans le paysage. Dans les années 70, il fallait très régulièrement faire constater par un huissier que l'entreprise ne nous laissait pas entrer ou qu'elle refusait de nous transmettre les documents financiers. Aujourd'hui, c'est plus rare mais, par exemple, nous avons dû récemment poursuivre une filiale d'Alcatel en justice pour avoir le détail des primes versées aux salariés afin d'établir quelle était la politique d'égalité salariale hommes-femmes du groupe. Le recours aux experts, qui est une spécificité française et belge, commence juste à se développer au niveau européen. En Allemagne, ce droit est peu utilisé en raison des règles de cogestion (voir page 137). Les directions britanniques ou irlandaises découvrent totalement le rôle que nous jouons.

En France, les entreprises jouent-elles vraiment le jeu de la négociation en matière de plan social par exemple ?
Les directions qui cherchent vraiment à élaborer des solutions avec nous et les CE sont extrêmement rares. On nous envoie le directeur des ressources humaines, mais les personnes réellement décisionnaires ne nous rencontrent pas. En cas de plan social, lorsque nous proposons des solutions moins coûteuses pour l'entreprise, elles sont rarement suivies d'effets car cela revient à mettre en cause le scénario initial et, quelque part, la souveraineté de la direction. Dans un rapport de 2004, le Medef a proposé que le droit à l'expertise

soit conditionné à la signature d'un accord de méthode permettant d'anticiper les restructurations (voir page 60), ce qui limiterait nécessairement son champ d'application. Il faut donc toujours être vigilant.

Avec la mondialisation, les CE ont-ils plus de mal à jouer leur rôle économique ?

Nous sommes effectivement dans un contexte de plus en plus incertain. Il y a quinze ans, le périmètre des entreprises et des groupes ne changeait pas tous les ans, comme c'est actuellement le cas. On assiste désormais à des restructurations permanentes. Et avec les concentrations croissantes, les directions qui sont en face des CE ne sont plus toujours décisionnaires. Même lorsqu'elles sont de bonne foi, elles appartiennent à un groupe tellement important qu'elles peuvent difficilement voir tous les enjeux et avoir toutes les informations.

Par ailleurs, il est de plus en plus ardu de collecter et de traiter les informations pertinentes. Pour réaliser, par exemple, un comparatif des pratiques sociales à l'intérieur d'un groupe, il faut connaître les différents types de contrat selon les pays, savoir quelles règles nationales s'appliquent pour différencier le salaire brut du salaire net, quelle protection sociale est associée au contrat de travail... Et, dans le même temps, les représentants du personnel ont des exigences plus professionnalisées, leurs besoins en expertise sont plus pointus, afin d'anticiper les mutations économiques récurrentes.

Votre constat est finalement assez pessimiste !

Non, je constate simplement que les CE ont un pouvoir d'influence mais qu'ils ne peuvent pas l'exercer jusqu'au bout. Ce qui est vraiment dommage car les élus des CE ont une bonne connaissance de leurs responsabilités et, nous le vérifions souvent, ils sont capables de faire des propositions tout à fait pertinentes... qui se heurtent souvent à un mur. Or, le renforcement du dialogue social est indispensable pour permettre une anticipation des mutations économiques, en lien avec la thématique de la responsabilité sociale des entreprises qui implique que les décisions prennent en compte les intérêts de tous les partenaires. ■

Propos recueillis par Pascal Canfin

Alpha

François Cochet, directeur associé du groupe Alpha, spécialisé dans l'expertise auprès des comités d'entreprise.

« Les contraintes des entreprises sont mieux connues aujourd'hui »

Comment les CE gèrent-ils la négociation sur les plans sociaux auxquels ils sont confrontés dans les entreprises en restructuration ?

Jusque dans les années 80, les CE étaient plutôt réticents à négocier les plans sociaux, car ils en combattaient le principe même. Il fallait pousser les entreprises à ne pas licencier du tout. A partir du milieu des années 80, notamment sous l'influence des experts, les comités d'entreprise ont admis

qu'il y avait des contraintes économiques et qu'ils devaient discuter du contenu des plans sociaux. Jusque dans les années 90, cette négociation a surtout pris la forme d'une surenchère dans les compensations financières que les salariés pouvaient obtenir. Mais cette compensation ne leur était d'aucune utilité pour retrouver un emploi.
Depuis quelques années, les CE se battent sur les moyens concrets mis à disposition par l'entreprise dans le cadre du plan social pour que les salariés puissent se reclasser. Les cellules de reclassement, par exemple, qui étaient mal vues des syndicats, sont aujourd'hui considérées comme un outil indispensable. Nous poussons également les CE à s'impliquer dans les commissions de suivi de ces reclassements, pour s'assurer que les solutions mises en œuvre sont adaptées aux besoins des salariés. Car on ne reclasse pas un cadre en Ile-de-France comme une ouvrière en Corrèze.

Les CE parviennent-ils à anticiper les restructurations ?
L'anticipation est encore l'exception plus que la règle. Mais les comités d'entreprise utilisent de plus en plus souvent leur droit d'alerte. Par ailleurs, depuis la loi de modernisation sociale de 2002, ils peuvent négocier et signer des accords de méthode avec les directions pour anticiper les restructurations (environ 150 à ce jour). Enfin, les experts sont précisément là pour les aider à anticiper, notamment dans le cadre des missions d'analyse des comptes.
Par exemple, le groupe Alpha est intervenu chez Thomson Videoglass, une usine de production de tubes cathodiques pour les téléviseurs située en Seine-et-Marne. Avec l'explosion du marché des écrans plats, son activité se trouve menacée. Nous avons donc dit aux élus du CE que leur usine était en sursis. Or, conscients du problème, ils ne voyaient pas le risque à si brève échéance. Mais en posant des questions claires à la direction sur l'avenir du site, les syndicats ont obtenu qu'elle dévoile ses intentions, qui étaient de fermer l'usine dans quelques années. Une fois le problème mis ouvertement sur la table, la direction a accepté de jouer le jeu de l'anticipation et a cherché activement une solution de reprise ou de reconversion en associant les représentants du personnel. Sans l'intervention du CE, elle aurait sans doute attendu encore un an avant de présenter un plan social de fermeture du site. Résultat : un fabricant espagnol de pare-brise qui souhaitait se rapprocher des constructeurs automobiles français a repris le site. Il était intéressé par le savoir-faire de 300 ouvriers verriers, dont l'emploi et le métier seront ainsi préservés.

Les CE non syndiqués, notamment dans les PME où ils sont majoritaires, utilisent-ils leurs droits en matière économique ?
C'est vrai que les CE des PME et les CE non syndiqués font moins souvent appel aux experts. Leurs demandes à notre égard sont plus ponctuelles et plus utilitaristes. Nous ne sommes contactés que lorsqu'un problème émerge et rarement pour un suivi régulier ou en anticipation.

N'est-il pas plus difficile pour le CE d'exercer son rôle économique dans une entreprise de services que dans une entreprise industrielle à la culture ouvrière et syndicale plus marquée ?
Oui. Le CE, comme le syndicalisme de manière générale, ne joue son rôle à plein que dans le cadre d'une unité d'action et de lieu. Si les salariés sont éparpillés sur de nombreux sites ou si, à l'inverse, sur un site de production ils appartiennent à de nombreux employeurs différents, il est difficile de construire des revendications communes et de mener une négociation unique. Résultat : dans les entreprises de nettoyage ou dans des associations de services à domicile, qui emploient des centaines, voire des milliers de salariés, les institutions représentatives du personnel ne jouent pas leur rôle de manière satisfaisante.

L'éloignement des centres de décision ne complique-t-il pas par ailleurs l'exercice du rôle économique des CE, qui n'ont pas forcément en face d'eux le véritable décisionnaire ?
Ce sentiment de dépossession existe, mais probablement moins qu'il y a quelques années. Les élus du CE utilisent le territoire comme un nouveau levier pour leur négociation. Quand Hewlett Packard a annoncé plus de 1 000 licenciements en septembre 2005, les élus locaux sont montés au créneau. Le territoire est un allié de plus en plus important car la décentralisation a considérablement renforcé les compétences économiques des collectivités locales. Mais la mobilisation des élus locaux a une contrepartie : il faut que les revendications portées par les salariés soient réalistes...

Comment les CE peuvent-ils alors peser sur les orientations des entreprises alors que celles-ci externalisent une part croissante de leur activité ?
C'est une problématique sur laquelle les CE, et le législateur, n'ont pas encore assez avancé. La fédération CGT de la métallurgie propose d'aller vers des comités interentreprises de site ou de filière, qui engloberaient le donneur d'ordre et les sous-traitants. On pourrait, a minima, prendre modèle sur ce qui existe pour les comités d'hygiène, de sécurité et des conditions de travail (CHSCT). Le CHSCT d'une entreprise est compétent pour traiter des questions de condition de travail, de risque d'accident... pour l'ensemble des postes du site de production, quel que soit le statut de celui qui les occupe, salarié de l'entreprise ou sous-traitant. Certains élus de CE essaient, en cas de plan social notamment, d'intégrer la défense des intérêts des salariés extérieurs dans la négociation. A la Samaritaine par exemple, le CE s'est intéressé au sort des démonstrateurs qui n'étaient par juridiquement employés par LVMH. ■

Propos recueillis par P. C.

Les premiers pas des comités d'entreprise européens

Les comités d'entreprise européens sont nés d'une directive transposée en droit français en 1996. Dix ans plus tard, le bilan est positif mais pas encore à la hauteur des enjeux.

Les salariés français de France Télécom ont-ils leur mot à dire sur la façon dont l'entreprise gère son activité en Europe ? Comment faire dialoguer des syndicalistes allemands et polonais sur la délocalisation d'une unité de production de détergents qui va détruire de l'emploi en Allemagne mais en créer en Pologne ? C'est pour faire face à ce type de questions que l'Union européenne a créé les comités d'entreprise européens (CEE) [4]. Les CEE ne prennent pas la place des comités d'entreprise nationaux mais ils viennent, en plus, traiter des questions transnationales qui intéressent les salariés de plusieurs pays. La fonction des CEE est plus restreinte que celle des comités d'entreprise français. Ils ne gèrent aucune activité en propre et ne rendent aucun service direct aux salariés. Ils ont un rôle d'information et de consultation sur les questions économiques et sociales.

La directive qui les institue date de 1994. Elle a été transposée en droit français en 1996. Elle les rend obligatoires dans les groupes qui emploient plus de 1 000 personnes et possèdent des filiales d'au moins 150 salariés dans au moins deux Etats membres, même si leur siège est en dehors de l'Union. 800 entreprises ou groupes de dimension transnationale ont institué un CEE, ce qui représente un tiers des 2 500 entreprises ou groupes concernés, et les deux tiers des salariés potentiellement couverts. La Confédération européenne des syndicats (CES) en dénombre 94 pour les groupes dont le siège social est en France. Des entreprises comme le Crédit agricole, Décathlon, Dassault ou Leroy Merlin n'en sont toujours pas dotées, dix ans après la transposition de la directive en droit français.

Une concertation limitée

Les CEE ont-ils un véritable pouvoir ? Selon les termes de la loi, le CEE est simplement informé de « *l'activité, de la situation financière, de l'évolution et des prévisions d'emploi annuelles ou pluriannuelles et des actions*

[4] En France, on utilise parfois l'expression comité de groupe européen, mais le terme juridique reconnu par l'Union est celui de comité d'entreprise européen.

Vers des comités d'entreprise mondiaux ?

Il n'existe aucune législation obligeant les entreprises à mettre en place des comités d'entreprise mondiaux. Mais, en Europe, selon la CES, 19 groupes se sont engagés dans cette voie comme Accor, Renault ou Alstom en France. La plupart du temps, ces comités couvrent la majorité des pays où le groupe est présent, même si c'est sur deux ou trois continents. Ces comités « monde » ont pour fonction principale de faire remonter les mauvaises pratiques enregistrées dans les pays du Sud et de négocier des chartes dans lesquels le groupe s'engage sur le respect des droits sociaux minimums reconnus par les conventions de l'Organisation internationale du travail.

éventuelles de prévention envisagées compte tenu de ces prévisions dans le groupe et dans chacune des entreprises qui le composent ». Dans la réalité, les élus sont souvent mis devant le fait accompli et ne disposent que de très peu d'informations. Exemple : le syndicat Sud de France Télécom explique qu'en novembre 2004, la direction du groupe a annoncé au comité d'entreprise européen qu'il n'y aurait pas de licenciements en 2005 en Pologne en réponse à des questions des représentants du personnel de la filiale locale TPSA. Mais dès le mois de décembre, elle annonçait 3 500 licenciements dans ce pays !

Ces pratiques s'expliquent notamment par la faiblesse du texte de la directive qui définit la consultation comme un « *échange de vue et l'établissement d'un dialogue* ». Consciente de cette insuffisance, la Commission européenne a lancé en 2004 un projet de révision de la directive. La CES a donc émis des propositions pour renforcer le droit de consultation. Il s'agirait notamment d'obliger les directions à transmettre les documents par écrit avec un délai suffisant avant la réunion du CEE et de donner davantage de moyens humains aux représentants des salariés en mettant à disposition des documents en plusieurs langues et en finançant des traductions sur place. Malheureusement, le projet de réforme est en panne en raison notamment de l'opposition de l'Union des confédérations de l'industrie et des employeurs d'Europe (l'Unice, le Medef européen) à toute renégociation.

Des freins également syndicaux

Or, la reconnaissance d'un vrai droit de consultation est indispensable pour crédibiliser les CEE auprès des salariés et de leurs représentants syndicaux nationaux. On peut admettre que dans un premier temps les CEE aient été dotés d'un pouvoir limité, mais il ne faudrait pas que s'installe l'idée qu'ils « ne servent à rien » et qu'ils ne sont pas un outil efficace pour faire émerger un dialogue social transnational. Un dialogue dont la richesse dépend aussi de la capacité des syndicats à confronter leurs traditions et à sortir des logiques nationales.

« *Il a fallu plusieurs années pour apprendre à travailler ensemble et se former au droit social des différents pays. Aujourd'hui, les discours parfois automatiques des organisations ne passent plus auprès de nos collègues européens* », remarque Marc Blanc, président du CEE TotalFinaElf. Un constat que partage Hélène Robert, directrice du cabinet Syndex : « *La division au sein du paysage syndical français passe très mal aux yeux des Allemands, ce qui oblige les syndicats à sortir de leurs clivages habituels.* » Quant aux logiques de défense de l'emploi national, elles restent dominantes, mais des compromis commencent à être trouvés entre les syndicats lorsque la direction menace de délocaliser une activité.

Lorsque le groupe anglais Reckitt Benckiser, qui produit notamment la lessive Saint-Marc et les insecticides Baygon, a envisagé de transférer un site de production d'Allemagne en Pologne pour des raisons environnementales, les syndicats des deux pays ont réussi à trouver un intérêt commun : les Polonais ont fait alliance avec les Allemands pour dénoncer le dumping environnemental qui mettait en cause l'emploi en Allemagne et la qualité de vie en Pologne. *« Dans cette affaire, le calcul des Allemands est que de toute façon l'usine sera délocalisée un jour, mais que le plus tard sera le mieux. Et le calcul des Polonais est que l'usine sera délocalisée un jour donc autant le faire dans le respect de normes environnementales plus strictes, dans l'intérêt des salariés et de leurs familles »*, analyse Hélène Robert.

Pallier la faiblesse des syndicats

Malgré leurs insuffisances, certains CEE remplissent déjà trois fonctions qui font d'eux des acteurs à part entière du dialogue social. La première est d'être un recours pour les salariés situés dans des pays où la représentation syndicale est limitée, comme le Royaume-Uni ou les pays d'Europe centrale et orientale, dans lesquels la directive s'applique depuis mai 2004. *« Dans bon nombre de ces pays, les informations nécessaires aux syndicats ne sont pas disponibles. Le CEE apporte donc une réelle valeur ajoutée en fournissant aux représentants des salariés une information sur la situation économique de leur entreprise »*, selon Alpha Conseil. Mais cette fonction de recours n'est possible que si les membres du CEE sont réellement représentatifs des salariés. Et Christian Dufour, de l'Institut de recherches économqiues et sociales (Ires), cite des cas où les directions d'entreprise ont désigné les représentants des salariés (exemple : la direction d'une filiale polonaise qui choisit son représentant au CEE). Dans d'autres structures, il arrive aux syndicats de désigner des représentants qui *« n'ont pas de lien direct avec l'entreprise »*, ajoute le chercheur.

En cas de restructuration

Au-delà, la deuxième fonction du CEE est d'être une sorte d'instance d'arbitrage de conflits, d'une part, entre les syndicats et les directions locales ou nationales, d'autre part, entre les syndicats. Le CEE de Barilla a obtenu en 2004 de la direction centrale qu'elle pousse la direction de sa filiale grecque à retirer une plainte contre des salariés grévistes et celle de sa filiale à allemande à cesser des pratiques jugées comme étant des violations de la vie privée par les syndicats locaux.

Enfin, les CEE jouent un troisième rôle, sans doute le plus ambitieux, celui d'être directement impliqués dans les restructurations qui concernent plusieurs pays européens. Théoriquement, si une entreprise dont le siège social est en France licencie dans un autre pays de l'Union, le CEE est saisi de cette question. Mais, la plupart du temps, les négociations sont menées au niveau local. Seules quelques entreprises ont négocié des accords qui font remonter au niveau européen la gestion directe des restructurations transnationales. C'est le cas de Danone et de Renault par exemple. Deux entreprises qui, avec les affaires Lu en 2001 [5] et Vilvoorde en 1997 [6], ont pu tester grandeur nature l'intérêt de négocier au niveau européen des restructura-

[5] Fermeture du site de production de Calais et réorganisation de la filière biscuits en Europe.
[6] Fermeture de l'usine flamande dans un contexte de rationalisation de la production des sept sites européens du groupe.

tions concernant plusieurs pays pour éviter de se trouver face à des mobilisations nationales...

Parfois, fait remarquer Christian Dufour, les directions utilisent même ces structures pour transmettre des informations sensibles, en particulier celles qui incitent au « réalisme économique ». Ainsi, le dirigeant d'un groupe européen, avec des filiales française et allemande où il y a une forte présence syndicale, explique l'intérêt de mettre face à face des salariés français et allemands : « *Ils voient eux-mêmes qu'ils font la même chose et sont donc en concurrence* », a-t-il confié à Christian Dufour. « *Sur le terrain européen comme sur le terrain français, les structures d'information et de concertation sont des outils dont l'usage varie selon ceux qui s'en emparent* », conclut le chercheur. ■

P. C.

ZOOM Monter un comité d'entreprise européen

C'est la direction du groupe qui est chargée de l'initiative de la mise en place d'un comité d'entreprise européen (CEE). Mais il suffit d'une demande écrite à la direction centrale d'au moins 100 travailleurs ou de leurs représentants relevant d'au moins deux entreprises dans au moins deux Etats membres pour qu'elle soit dans l'obligation de le faire. A condition, bien sûr, que le groupe soit soumis à la directive. Car une entreprise peut avoir une activité dans plusieurs pays de l'Union sans pour autant posséder de filiale, c'est-à-dire détenir la majorité du capital d'une autre entreprise. C'est pourquoi la directive sur les CEE étend la notion d'« entreprise dominante » à celle qui détient au moins 10 % du capital d'une autre structure « *lorsque la permanence et l'importance des relations de ces entreprises établissent l'appartenance de l'une et de l'autre à un même ensemble économique* ».

Une fois vérifié que le groupe est bien soumis à la directive, la société mère met en place un « groupe spécial de négociation » constitué de 3 membres au minimum et de 18 membres au maximum, qui peuvent être assistés par des experts. Ce groupe est composé selon les mêmes règles que le futur CEE : un représentant des salariés par Etat dans lequel le groupe compte une ou des entreprises et des membres supplémentaires en fonction de la proportion des effectifs par Etat.

C'est ce groupe qui va définir précisément les moyens financiers dont disposera le CEE (300 000 euros chez Axa par exemple), la fréquence des réunions (au moins une fois par an), le champ de ses compétences, sa composition, les modalités de recours à l'expertise (100 000 euros de budget prévus chez Air France-KLM pour 2006), le droit à la formation des élus... Le groupe spécial de négociation a trois ans pour trouver un accord. En pratique, selon la Confédération européenne des syndicats, la négociation dure un an et aboutit la plupart du temps à un accord. En cas d'échec et une fois le délai épuisé, ce sont les conditions prévues par la directive qui s'applique. Celle-ci prévoit notamment que l'entreprise prenne en charge tous les frais d'organisation, de réunions, etc. et qu'elle assure une délégation d'au maximum 120 heures par an aux membres du bureau du CEE.

Le CEE compte la plupart du temps entre 20 et 30 membres. Au sein de chaque pays, ce sont les organisations syndicales qui nomment les représentants parmi les élus aux comités d'entreprise ou les délégués syndicaux. La répartition se fait sur la base des résultats des dernières élections du CE.

La représentation collective en Allemagne

La cogestion à l'allemande est-elle une forme de représentation du personnel plus démocratique que la nôtre ? Force et faiblesses des conseils d'établissement (*Betriebsräte*) d'outre-Rhin.

Tous les quatre ans, les salariés allemands élisent leur conseil d'établissement, leur *Betriebsrat* (BR). Institué pour la première fois en 1920, au lendemain de la Première Guerre mondiale et de la « Révolution des conseils », aboli sous le nazisme, le *Betriebsrat* a été réintroduit dans les établissements ouest-allemands par la loi sur l'entreprise de 1952 (amendée en 1972 et en 2001). Avec la réunification, les établissements est-allemands ont échangé leur système de représentants syndicaux d'entreprise contre le modèle des *Betriebsräte*.
Théoriquement, un BR peut être élu dans tous les établissements du secteur privé qui comptent au moins cinq salariés. Mais sa présence est exceptionnelle dans les petites entreprises. 93 % des établissements de moins de 50 salariés n'en avaient pas en 2003 et il faut attendre le seuil de 100 salariés pour trouver un BR dans deux établissements sur trois. Les grandes entreprises sans *Betriebsrat* sont en revanche extrêmement rares.
Candidats syndiqués et non syndiqués peuvent se présenter aux élections. Les syndicats n'ont pas, comme en France, de monopole de présentation de listes, mais ils peuvent initier l'organisation d'élections dans les établissements dès lors qu'ils y ont des adhérents.

Arriver obligatoirement à un accord

Les moyens des BR varient fortement selon leur taille. Dans les entreprises de moins de 20 salariés, le BR ne comprend qu'un seul élu ; ils sont cinq dans les établissements de 51 à 100 salariés. Des élus permanents font leur apparition à partir du seuil de 200 salariés. Le premier permanent est en règle générale le président du *Betriebsrat*, un élu désigné par ses pairs. Dans les très grands établissements, tout le bureau du BR sera composé de permanents. Dans les entreprises multisites, les représentants disposent d'espaces d'intervention multiples : un BR d'entreprise (*Gesamtbetriebsrat*), un BR de groupe (*Konzernbetriebsrat*), éventuellement un comité européen. Dans les entreprises de plus de 2 000 salariés, les élus siègent à côté des représentants des syndicats dans les conseils de surveillance, à parité avec les représentants des actionnaires – parité relative toutefois, car le président du conseil de surveillance, un représentant des actionnaires, a un droit de vote double.
Le *Betriebsrat* a un champ de compétences étroitement codifié en même temps que gradué par la loi. L'instrument le plus puissant à son service est la codétermination (*Mitbestimmung*) en matière sociale. Ce droit oblige l'employeur à trouver un accord avec les représentants des salariés. Le

droit de codétermination ne s'étend pas aux questions économiques au sujet desquelles les BR doivent se contenter d'un simple droit d'information (à l'instar de leurs homologues français dans les CE). En revanche, l'employeur ne pourra pas décider seul en matière de règlement intérieur, d'aménagement du temps de travail, de congés payés ou encore de formation professionnelle. Il ne pourra passer outre le veto d'un *Betriebsrat* qui s'oppose aux heures supplémentaires. Et tout plan social doit obligatoirement être négocié avec le BR pour aboutir, ici aussi, à un compromis signé.
Le droit de regard sur les embauches et les licenciements fait également partie des prérogatives importantes des *Betriebsräte*. Des informations détaillées doivent être adressées au BR et son avis doit être recueilli. Un licenciement sera ainsi systématiquement invalidé par les tribunaux si ces procédures n'ont pas été respectées [7]. En matière d'organisation du travail, le *Betriebsrat* doit être consulté. Le financement de l'instance incombe à l'employeur (détachements, formation des élus, secrétariat et moyens de fonctionnement, etc.), mais le *Betriebsrat* n'a pas à gérer de budget destiné aux activités sociales.

Une confrontation « non conflictuelle »

La confrontation avec l'employeur sera *« non conflictuelle »* : c'est en tout cas ce que prescrit la loi sur l'entreprise. Si un accord ne peut être trouvé sur des thèmes soumis à codétermination, il sera fait appel à une commission d'arbitrage paritaire. Toute grève au niveau des établissements est illégale. La législation allemande réserve le droit de grève aux organisations syndicales de branche dans le cadre du renouvellement des conventions collectives. Cette obligation de paix sociale sur les lieux de travail renvoie à la logique même du système allemand de relations professionnelles, qui inscrit les deux niveaux clés de l'élaboration des normes sociales (l'établissement et la branche) dans un rapport de hiérarchie et de complémentarité. A la branche la détermination des salaires et du temps de travail ; à l'établissement (*Betrieb*) la négociation des conditions concrètes de la vie au travail.
La loi sur les conventions collectives interdit expressément aux acteurs dans les établissements la négociation sur les thèmes *« habituellement réservés »* à la négociation de branche. Le conflit sur les salaires est par conséquent mené au niveau de la branche – où les syndicats mobilisent occasionnellement leurs troupes – et les *Betriebsräte* n'ont pas à intervenir sur ce sujet. Cette hiérarchisation des normes fait actuellement l'objet de discussions. Une partie du patronat plaide pour la suppression du monopole de la branche au profit des arbitrages d'entreprise. Les experts (et une autre partie du patronat) estiment au contraire qu'une telle évolution introduirait nécessairement le conflit social – et le droit de grève – dans l'entreprise.
La majorité des élus dans les *Betriebsräte* sont membres d'un syndicat du Deutsche Gewerkschaftsbund (DGB), la principale confédération syndicale en Allemagne, même si on note des différences importantes entre les secteurs et entre les établissements de petite et grande taille. Près des trois quarts des élus et plus de 80 % des présidents des *Betriebsräte* étaient syn-

[7] Le BR ne peut vraiment s'opposer à un licenciement économique que si certains critères dits sociaux ne sont pas respectés (âge, ancienneté, poids du salaire pour le revenu familial) et si une mutation à un autre poste de travail (éventuellement après une formation) s'avère impossible. La loi prévoit en effet qu'un licenciement pour des raisons *« liées à la marche de l'entreprise »* concerne tout d'abord la personne plus jeune, moins ancienne, etc. En règle générale, la contestation du licenciement par le BR a pour conséquence de maintenir le salarié licencié dans l'emploi jusqu'au verdict du tribunal.

diqués aux élections de 2002, selon les sources syndicales. La syndicalisation des élus est légèrement en recul sur longue période et la participation aux élections tend à fléchir davantage.

Les limites sur le terrain

Les BR peuvent occuper une place importante, notamment dans les grandes entreprises industrielles. Cela ne tient que partiellement à la loi. Portés par un environnement dans lequel la valorisation du travail qualifié et de qualité est encore de rigueur, ces collectifs d'élus veillent à occuper tous les terrains : on les trouve dans les ateliers en discussion avec les salariés et les contremaîtres, impliqués dans la formation des jeunes, en négociation officielle autant qu'informelle avec les directions locale et centrale, en échange d'égal à égal avec les experts. Ils sont aussi actifs dans les structures syndicales externes et se préoccupent de ne pas laisser s'éteindre la flamme de l'adhésion. On les voit contourner l'interdiction de la grève en organisant des assemblées du personnel houleuses pendant le temps de travail.
Mais ces bastions trouvent moins d'émules que dans le passé. D'autres *Betriebsräte* peinent à se faire leur place, par exemple dans les PME aux relations de type paternaliste dans lesquelles les échanges et les conflits cherchent souvent des solutions en dehors des canaux institutionnels. Ils sont en outre un peu moins présents dans les établissements féminisés où les normes négociées y sont moins protectrices.
Enfin, la greffe n'a pas pris sans mal dans les *Länder* de l'ex-RDA, où les élus peuvent être soupçonnés par leurs mandants de cogérer avant tout la fermeture des entreprises. Malgré les espoirs placés dans une réforme adoptée en 2001, les BR ne réussissent pas leur percée dans les zones dépourvues de représentation (entreprises petites, du tertiaire, avec des salariés très qualifiés, etc.). Globalement, ils restent un modèle minoritaire : il y avait un BR dans seulement 11 % des établissements allemands en 2003, et seuls 48 % des salariés ouest-allemands (39 % de leurs homologues est-allemands) bénéficiaient d'une telle représentation collective. ■

Adelheid Hege
chercheuse à l'Institut de recherches économiques et sociales*

* Coauteure des *Comités d'entreprise. Enquête sur les élus, les activités et les moyens*, Ires-Dares, coéd. ministère de l'Emploi et de la Solidarité et éd. de l'Atelier, 1998.

Bibliographie

Ouvrages et guides sur les comités d'entreprise

Lamy comité d'entreprise, par François Barbé (dir.), éd. Lamy, 2005.

Comités d'entreprise. Elections, fonctionnement, prérogatives économiques et sociales, par Evelyn Bledniak et Sandra Guérinot, éd. Delmas, 2005.

Le rôle et la gestion du comité d'entreprise, par Xavier Bouvier, coll. SOS bureau, éd. Nathan, 2005.

Le droit des comités d'entreprise et des comités de groupe, par Maurice Cohen, éd. LGDJ, 2005.

L'évolution du comité d'entreprise, par Gérard Desseigne, coll. Que sais-je ?, éd. PUF, 1995.

Guide pratique de l'élu de CE, par Nicolas Dubost (dir.), édité par Forma CE, 2004.

L'introuvable démocratie salariale, par Jean-Pierre Le Crom, éd. Syllepse, 2003.

Du silence à la parole, une histoire du droit du travail, des années 1830 à nos jours, par Jacques Le Goff, éd. Presses universitaires de Rennes, 2004.

Droit du travail et société, tome 2 : Les relations collectives de travail, par Jacques Le Goff, éd. Presses universitaires de Rennes, 2003.

Comités d'entreprise. Enquête sur les élus, les activités et les moyens, Ires-Dares, coéd. ministère de l'Emploi et de la Solidarité et éd. de L'Atelier, 1998.

CE pratique, collectif, éd. Liaisons sociales, 2005.

Rapports et articles universitaires

« Les femmes dans les comités d'entreprise et les délégations uniques du personnel : une parité encore lointaine », par Thomas Amossé et Christophe Lemoigne, *Premières Synthèses, Premières Informations* n° 44.1, octobre 2004.

« Post-enquête Réponse », par Christian Dufour, Adelheid Hege, Anna Malan et Patrick Zoulary, Ires, avril 2004, disponible sur www.ires-fr.org

« Les femmes secrétaires de comité d'entreprise : une parité trompeuse ? », par Adelheid Hege, Christian Dufour et Catherine Nunes, *Premières Synthèses* n° 15.2, avril 2001.

« Les élections aux comités d'entreprise en 2004 », Olivier Jacod, *Premières Synthèses, Premières Informations* n° 08.3, février 2006.

« Elus CFDT aux comités d'entreprise. De l'action institutionnelle à l'action stratégique », par Brigitte Mouret et Cécile Guillaume, CFDT-Ires, septembre 2002.

Brochures

Memento CE 2006, par Marianne Chandernagoret et Emilie Ruaux, éd. Salons CE, 2006 (www.salons ce.com).

« Le comité d'entreprise », par Alinéa, *Les Guides conseils de la Caisse d'épargne*, 2000 (www.lesdroits duce.com).

Textes officiels

Code du travail, éd. Dalloz, 2005.

Code du travail, par Bernard Teyssié, éd. Lexis Nexis Litec, 2005.

Code du travail annoté, éd. Groupe Revue fiduciaire, 2005.

Guide pratique du droit du travail, collectif, éd. La Documentation française, 2005.

Les revues et magazines

***CEC magazine*,** mensuel, 187-189 quai de Valmy, 75010 Paris, tél. : 01 41 29 96 59, site : www.liaisons-sociales.comcourriel : cec@groupe liaisons.fr Notamment le n° 105, « spécial prestataires et fournisseurs », le *Guide d'achat 2006* et le n° 102, septembre 2005, « Les 60 ans qui ont fait le CE ».

***Social CE*,** bimestriel, éditions du 1er mai, 38 rue Pierre-Curie, 92000 Nanterre, tél. : 01 41 97 83 42, courriel : consoce@wanadoo.fr

***Les cahiers Lamy du CE*,** mensuel, 1 rue Eugène-et-Armand-Peugeot, 92856 Rueil-Malmaison Cedex, tél. : 01 44 72 12 12, site : www.lamy.fr

***La lettre du guide CE*,** lettre électronique mensuelle, éd. Législatives, 80 av. de la Marne, 92546 Montrouge Cedex, tél. : 01 40 92 69 81, site : www.editions-legislatives.fr

***Media CE*,** bimestriel, 249 rue de Crimée, 75019 Paris, tél. : 01 55 26 81 00 et 01 55 26 87 69, site : www.mediace.fr On y trouve même l'horoscope du CE...

***Nouvelle vie ouvrière NVO*,** éd. VO, 263 rue de Paris, 93516 Montreuil, tél. :01 48 18 80 00 et 01 49 88 68 42, site : www.librairie-nvo.com

Les sites Internet

Des sites particulièrement fournis en infos sur les CE :

CGT (Confédération générale du travail) : www.cgt.fr

CFDT (Confédération démocratique du travail) : www.cfdt.fr

CFTC (Confédération française des travailleurs chrétiens) : www.cftc.fr

Editions Lamy : www.lamy.fr

Editions législatives : www.editions-legislatives.fr

Liaisons sociales : www.liaisons-sociales.com

Légifrance : www.legifrance.gouv.fr

Ministère de l'Emploi : www.travail.gouv.fr, aller dans « Informations pratiques », « Fiches pratiques », « Représentants du personnel ».

Salons CE : www.salonsce.com

Index

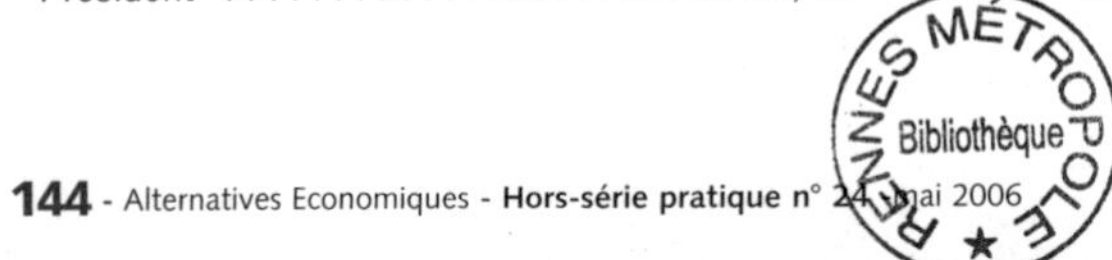